Ciekawe dlaczego

Księga przyrody

Tytuł oryginału: I Wonder Why Encyclopedia

Autorzy: Jackie Gaff, Anita Ganeri, Rosie Greenwood,
Carole Scott, Brenda Walpole

Tłumaczenie: Janusz Ochab, Joanna Pokora, Marta Wagner

© Macmillan Children's Books 2009
Original edition is published by Kingfisher, an imprint of
Macmillan Children's Books
© 2012 for the Polish edition by Firma Księgarska Olesiejuk
spółka z ograniczoną odpowiedzialnością S.K.A.
Wydawnictwo Olesiejuk, an imprint of Firma Księgarska Olesiejuk
spółka z ograniczoną odpowiedzialnością S.K.A.

ISBN 978-83-7770-404-2
ISBN 978-83-7770-405-9
ISBN 978-83-7844-884-6

WYDAWNICTWO
OLESIEJUK

Firma Księgarska Olesiejuk spółka z ograniczoną
odpowiedzialnością S.K.A.
ul. Poznańska 91, 05-850 Ożarów Mazowiecki
wydawnictwo@olesiejuk.pl
Dystrybucja: www.olesiejuk.pl

Druk: DRUK-INTRO S.A.

SPIS TREŚCI
KOSMOS

CZAS I PORY ROKU

NASZA PLANETA

MORZA I OCEANY

Żyjąc na Ziemi, zapominamy czasem, że jest ona częścią nieskończenie wielkiego kosmosu – obok gwiazd, księżyców i innych planet. Każde z tych ciał niebieskich wygląda inaczej, składa się z innych substancji, różni się od Ziemi, a czasem w czymś ją przypomina. Przyjrzyjmy się im bliżej i poznajmy pracę ludzi, którzy podróżują w nieznane, by zgłębić tajemnice otaczającego nas wszechświata.

KOSMOS

Co to jest wszechświat?

Cały świat i wszystko poza nim jest wszechświatem. Tworzą go wszystkie planety, także Ziemia, gwiazdy, zwierzęta, ty i ja – wszystko.

Jesteś stworzony z tych samych pierwiastków co gwiazda!

W kosmosie znajdują się olbrzymie grupy gwiazd, zwane galaktykami. To jakby takie ogromne miasta gwiazd.

Wielki Wybuch spowodował, że młody wszechświat zaczął rozpadać się we wszystkich kierunkach. Przez wiele tysięcy lat jego elementy grupowały się w galaktyki.

Galaktyki nadal oddalają się od siebie i dlatego wszechświat wciąż się rozszerza.

Kiedy to wszystko się zaczęło?

Astronomowie uważają, że wszechświat powstał około 15 miliardów lat temu podczas tzw. Wielkiego Wybuchu. Wtedy maleńka kulka materii, którą był wszechświat, rozpadła się we wszystkich kierunkach.

Wszechświat rozszerza się tak jak kropki na nadmuchiwanej piłce.

Czy wszechświat kiedyś przestanie istnieć?

Niektórzy astronomowie twierdzą, że wszechświat będzie się wiecznie rozszerzał, bo galaktyki będą się od siebie oddalać. Inni sądzą, że któregoś dnia galaktyki zaczną się do siebie przybliżać, aż w końcu zderzą się w Wielkim Zderzeniu!

Astronomowie to naukowcy, którzy badają ciała niebieskie, m.in. gwiazdy i planety.

Nikt nie wie, skąd wzięła się materia, z której powstał wszechświat.

Co to jest Droga Mleczna?

Droga Mleczna to galaktyka, w której żyjemy. Składają się na nią Słońce, wszystkie gwiazdy, które nocą widzimy na niebie, oraz wiele innych, których nie widzimy.

Droga Mleczna jest galaktyką w kształcie spirali. Na obrazku widać, jak wygląda z góry – trochę przypomina wir wodny.

Z boku galaktyka w kształcie spirali wygląda jak dwa przylepione do siebie jajka sadzone.

Nazwa „Droga Mleczna" wzięła się od tego, że czasami nocą widać jasny pas, który wygląda jak struga rozlanego mleka.

Mieszkamy na planecie nazwanej Ziemią, która krąży wokół Słońca.

Astronomowie na ogół nadają galaktykom numery zamiast imion. Tylko niektóre mają swoje nazwy, odpowiadające ich wyglądowi – na przykład: Wir Wodny, Sombrero i Podbite Oko.

Oto najczęstsze kształty galaktyk:

nieregularny (nie ma żadnego konkretnego kształtu)

eliptyczny (w kształcie jajka)

spiralny

Ile jest gwiazd?

Droga Mleczna składa się z setek miliardów gwiazd. Na każdą osobę na Ziemi przypada ich kilkadziesiąt! Mimo że wszechświata nie widać w całości, astronomowie obliczyli, jak duży jest i ile jest w nim gwiazd. Są ich setki trylionów w mniej więcej 100 miliardach galaktyk. Trudno sobie wyobrazić tyle gwiazd, a co dopiero wszystkie je policzyć!

Z czego zbudowane są gwiazdy?

Czasami z gwiazd wystrzeliwują ogromne chmury gazów, które wyglądają jak płomienie. Nazywamy je wzniesieniami.

Gwiazdy nie są tak twarde, jak ziemia, po której chodzisz. Składają się z gazów, głównie wodoru i helu. Gazy te są dla gwiazd paliwem. Dzięki ich energii gwiazdy wytwarzają światło i ciepło.

Od najstarszych czasów ludzie w układzie gwiazd widzieli różne wzory. Te wzory to konstelacje.

Najjaśniejsza gwiazda, którą widać w nocy na niebie, to Syriusz. Nazywa się ją także Psią Gwiazdą. Jest około dwóch razy większa od naszego Słońca, ale wydaje z siebie dwadzieścia razy więcej światła!

Dlaczego gwiazdy migoczą?

Światło załamuje się, kiedy przechodzi przez różne obiekty. Jeżeli, na przykład, włożysz do kubka z wodą słomkę, będzie ona wyglądała jakby była zgięta, bo jej połowa jest zanurzona w wodzie.

Gwiazdy migoczą tylko wtedy, kiedy patrzymy na nie z Ziemi. W kosmosie świecą nieprzerwanie. Kiedy światło gwiazdy leci w naszą stronę, zostaje po drodze zakrzywione i zachwiane przez masy poruszającego się ciepłego i zimnego powietrza, otaczającego Ziemię. Dlatego wydaje się nam, że gwiazdy migoczą.

Czy gwiazdy mają kształt gwiazdy?

Nie, gwiazdy są okrągłe jak piłki. Na rysunkach dorabiamy im ostre ramiona, które widzimy, patrząc na gwiazdy z Ziemi.

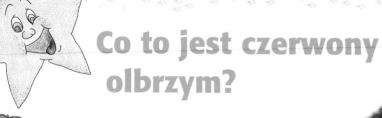

Co to jest czerwony olbrzym?

Wszystkie gwiazdy rodzą się, bardzo długo żyją, a potem umierają. Czerwonymi olbrzymami nazywa się bardzo stare gwiazdy.

Gwiazdy rodzą się cały czas. Rozpoczynają swoje życie w rodzinach, nazywanych gromadami.

3 Większość gwiazd jest podobna do naszego Słońca i przez całe swoje życie nieustannie świeci.

2 Gaz i pył kosmiczny zbijają się w kule, z których powstają gromady.

Jeżeli światło Słońca przyrównamy do reflektorów samochodu, to światło, jakie produkuje czerwony olbrzym, można przyrównać do światła latarni morskiej.

1 Wszystkie gwiazdy rodzą się w ogromnych, obracających się chmurach gazu i pyłu kosmicznego. Nasze Słońce urodziło się 4,6 miliarda lat temu.

4 Pod koniec swojego życia gwiazdy puchną, jak Słońce, i robią się nawet 100 razy większe. Zamieniają się w czerwone olbrzymy. Nasze Słońce stanie się takie za około 5 miliardów lat.

Na Ziemi biały karzeł wielkości ziarnka cukru ważyłby tyle, ile samochód.

5 Po zużyciu całego gazu czerwony olbrzym kurczy się do rozmiarów białego karła. Staje się wtedy około 10 000 razy mniejszy, ale nadal jest bardzo gorący.

6 Gwiazdy stygną i kończą swoje życie wiele lat później jako czarne karły – zimne wygasłe gwiazdy.

Gwiazdy o masie co najmniej osiem razy większej niż Słońce kończą swoje życie w wybuchach supernowych.

Które gwiazdy wybuchają?

Różne gwiazdy żyją różnie. Niektóre gwiazdy mają w sobie o wiele więcej paliwa niż inne. Te naprawdę masywne gwiazdy nie umierają, powoli stygnąc. Przeciwnie, eksplodują! Ten potężny wybuch nazywamy supernową.

Co to jest czarna dziura?

Czarna dziura może powstać po wybuchu supernowej. Gwiazda sama się wtedy wchłania, miażdżąc całą materię w sobie i maleją. W końcu powstaje obiekt, z którego nie wydostaje się światło – czarna dziura.

Wszystko we wszechświecie – galaktyki, gwiazdy, planety, takie jak Ziemia, a nawet księżyce – ma siłę przyciągania, którą nazywamy grawitacją. Dzięki grawitacji wszystkie obiekty przyciągają się i dzięki temu nic nie odlatuje w kosmos.

Dzięki grawitacji ziemskiej trzymasz się ziemi. Nie pozwala ci ona odlecieć w kosmos.

Kiedy dwa duże ciała kosmiczne (takie jak planeta i księżyc) zbliżą się do siebie, zaczynają się wzajemnie przyciągać. Zupełnie jakby przeciągały między sobą linę.

Gwiazdy, z których powstają czarne dziury, mają naprawdę silną grawitację – właśnie dlatego się wchłaniają i zapadają w sobie.

Siła grawitacji planety przyciąga jej księżyce i nie pozwala im odlecieć w przestrzeń kosmiczną.

Światło jest wsysane przez czarne dziury, prawie tak jak woda jest wsysana przez otwór w wannie.

Gwiazda, która za bardzo zbliży się do czarnej dziury, jest przez nią wchłaniana. Nic, nawet światło, nie może uciec przed siłą grawitacji czarnej dziury.

Jak gorąco jest na Słońcu?

Jak wszystkie gwiazdy, Słońce jest wielką kulą bardzo gorących gazów. Najgorętsze jest w środku – tam temperatura dochodzi do 15 milionów stopni Celsjusza. Na zewnątrz Słońce jest o wiele chłodniejsze – temperatura wynosi tam tylko 6000°C. Nadal jest to jednak temperatura 25 razy wyższa od tej w najgorętszym piekarniku!

Czarne znaki, nazywane plamami na Słońcu, pokazują się i znikają. Wygląda to tak, jakby Słońce miało ospę. Plamy te są czarne, ponieważ są chłodniejsze i wytwarzają mniej światła niż reszta Słońca.

Większość słonecznych plam jest większa od Ziemi.

Rośliny i zwierzęta nie mogłyby żyć bez światła i ciepła Słońca.

Słońce jest jedyną gwiazdą położoną wystarczająco blisko Ziemi, tak że czujemy jej ciepło. Następną gwiazdą, znajdującą się blisko Ziemi, jest Proxima Centauri. Światło Słońca potrzebuje 8,3 minuty, żeby dotrzeć na Ziemię, ale światło Proxima Centauri pokonuje ten dystans w 4,3 roku!

Słońce zużywa na sekundę 30 milionów ciężarówek paliwa!

Czy Słońce kiedyś zgaśnie?

Pewnego dnia Słońce zużyje całe swoje paliwo i wygaśnie. Ale nie stanie się to za twojego życia, za życia twoich dzieci ani nawet za życia twoich praprapra-wnuków! Astronomowie twierdzą, że Słońce ma wystarczająco dużo paliwa, żeby świecić jeszcze przez co najmniej 5 miliardów lat.

Ile jest planet w Układzie Słonecznym?

Nasza planeta, Ziemia, ma siedmioro sąsiadów. Razem tworzą rodzinę ośmiu planet, które krążą dookoła Słońca. Słońce i wszystkie ciała kosmiczne, które się wokół niego obracają, należą do Układu Słonecznego. Poza Słońcem i planetami w Układzie Słonecznym są jeszcze m.in. księżyce, planetoidy, planety karłowate mniejsze od planet oraz komety.

Komety to wędrujące ciała niebieskie śnieżno-skalno--lodowe. Większość z nich znajduje się na obrzeżach Układu Słonecznego, ale czasami zbliżają się do Słońca. Kiedy temperatura Słońca zaczyna je roztapiać, kometom rosną warkocze z gazów i pyłu kosmicznego, które mają kilka milionów kilometrów długości.

Słowo „planeta" pochodzi od greckiego słowa *planetes*, które oznacza wędrowca.

Merkury

Wenus

Ziemia

Mars

Jowisz

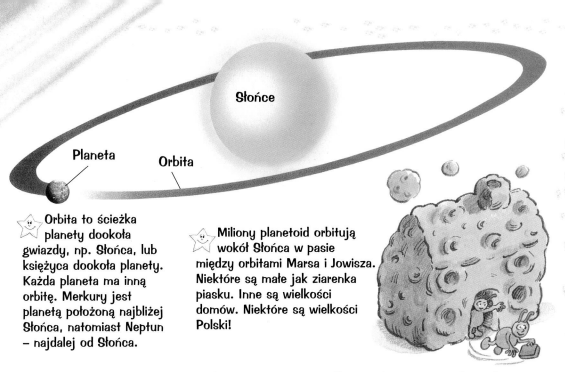

Słońce

Planeta

Orbita

⭐ Orbita to ścieżka planety dookoła gwiazdy, np. Słońca, lub księżyca dookoła planety. Każda planeta ma inną orbitę. Merkury jest planetą położoną najbliżej Słońca, natomiast Neptun – najdalej od Słońca.

⭐ Miliony planetoid orbitują wokół Słońca w pasie między orbitami Marsa i Jowisza. Niektóre są małe jak ziarenka piasku. Inne są wielkości domów. Niektóre są wielkości Polski!

Jaka jest różnica między planetami a gwiazdami?

Planety nie są tak duże i tak gorące jak gwiazdy i nie produkują własnego światła. Są zbudowane z cieczy i gazu albo ze skał i metali – jak nasza planeta. Gwiazdy są zawsze kulami gazowymi.

Saturn

Uran

Neptun

Dlaczego Ziemia jest wyjątkowa?

Ziemia jest jedyną planetą w Układzie Słonecznym, na której jest życie i woda. Dlatego jest wyjątkowa. Jest trzecią planetą od Słońca i dzięki temu dostaje wystarczająco dużo światła i ciepła, żeby istniało na niej życie. Gdyby Ziemia była położona bliżej Słońca, byłoby na niej zbyt gorąco, trochę dalej – i byłoby za zimno.

Kiedy Słońce stanie się czerwonym olbrzymem, pochłonie Merkurego i będzie tak ogromne, że przykryje połowę nieba.

Żeby zobaczyć, co się dzieje, kiedy Ziemia się obraca, wystarczy obracać globus i jednocześnie świecić na niego latarką.

Wszystkie planety Układu Słonecznego obracają się wokół swojej osi i krążą po orbitach wokół Słońca.

Dlaczego nocą słońce nie świeci?

Nocą robi się ciemno, bo Ziemia, krążąc wokół Słońca, obraca się wokół własnej osi. Ziemia wykonuje pełen obrót wokół własnej osi w ciągu 24 godzin. Każda z półkul na przemian zwraca się ku Słońcu (wtedy nastaje dzień) i odwraca się od niego (wtedy mamy noc).

Do tej pory astronomowie odkryli około 200 pozasłonecznych układów planetarnych. Prawie połowa z nich zawiera planety podobne do Ziemi. Może więc jednak nie jesteśmy sami we wszechświecie?

Która planeta jest najgorętsza?

Wenus nie jest planetą położoną najbliżej Słońca, ale jest najgorętsza. Temperatura dochodzi tam do 500°C – to jest około 8 razy więcej niż na Saharze, najgorętszym miejscu na Ziemi.

Mimo że Merkury (po prawej) znajduje się bliżej Słońca, to na Wenus jest bardziej gorąco! Wynika to z faktu, że Wenus jest otoczona chmurami gazów, które działają jak koce utrzymujące ciepło Słońca.

Na Wenus wysłane zostały sondy kosmiczne, które zrobiły zdjęcia i zebrały informacje na temat tej planety. Niestety, sondy uległy zniszczeniu na skutek wysokiej temperatury i ciśnienia wkrótce po wylądowaniu na powierzchni planety.

Mars jest następną po Ziemi planetą w kolejności od Słońca. Ludzie myśleli kiedyś, że tak jak na Ziemi mogą tam mieszkać żywe istoty. Wysłano na Marsa sondy, ale nie znaleziono żadnych oznak życia!

Która planeta jest czerwona?

Mars często jest nazywany Czerwoną Planetą. Jego powierzchnię pokrywa czerwony pył, unoszony przez wiatr. W ten sposób powstają różowe chmury! Skały na Marsie zawierają bardzo dużo żelaza, które rdzewieje. Lepszą nazwą dla Marsa byłaby Zardzewiała Planeta!

Merkury jest pokryty kraterami. Są to dziury zrobione przez wielkie skały kosmiczne, które się tam rozbiły.

Istoty żywe potrzebują wody. Na Marsie woda istnieje tylko w formie zamarzniętej, na północnej i południowej czapie lodowej.

Gdybyś patrzył na Słońce z Merkurego, wyglądałoby ono tam na dwa razy większe niż oglądane z Ziemi. Jest tak, ponieważ Merkury znajduje się o wiele bliżej Słońca niż Ziemia.

Która planeta Układu Słonecznego jest największa?

Jowisz jest jedną z czterech planet z pierścieniem.

Jowisz jest tak wielką planetą, że zmieściłyby się w nim wszystkie pozostałe planety! Na powierzchni Jowisza powstają piękne wzory z wirujących chmur gazów, które są poruszane przez bardzo silne wiatry.

Jowisz – tę nazwę wymyślili starożytni Rzymianie. Tak nazywał się ich król bogów.

Wielka Czerwona Plama na Jowiszu jest tak ogromna, że zmieściłyby się w niej dwie Ziemie! Jest to olbrzymia burza, która trwa od ponad 300 lat.

Wielka Czerwona Plama

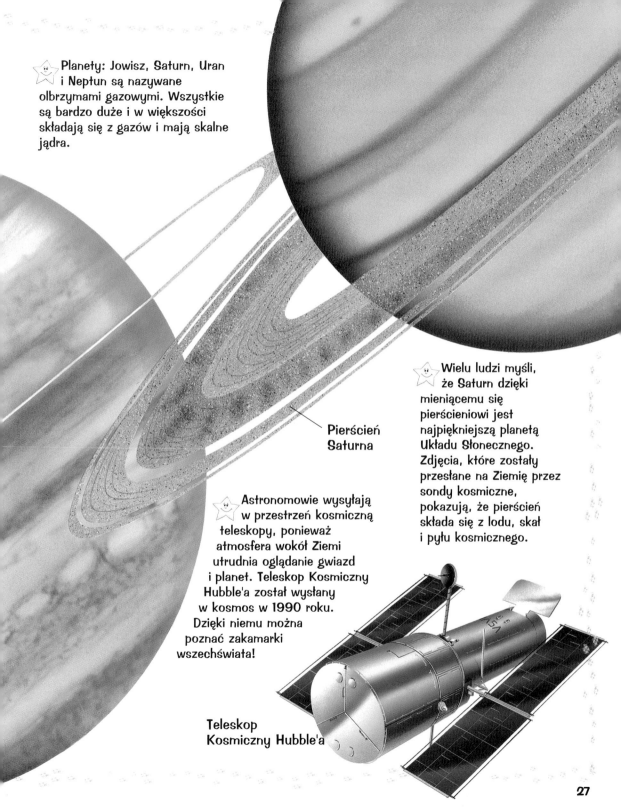

Planety: Jowisz, Saturn, Uran i Neptun są nazywane olbrzymami gazowymi. Wszystkie są bardzo duże i w większości składają się z gazów i mają skalne jądra.

Pierścień Saturna

Wielu ludzi myśli, że Saturn dzięki mieniącemu się pierścieniowi jest najpiękniejszą planetą Układu Słonecznego. Zdjęcia, które zostały przesłane na Ziemię przez sondy kosmiczne, pokazują, że pierścień składa się z lodu, skał i pyłu kosmicznego.

Astronomowie wysyłają w przestrzeń kosmiczną teleskopy, ponieważ atmosfera wokół Ziemi utrudnia oglądanie gwiazd i planet. Teleskop Kosmiczny Hubble'a został wysłany w kosmos w 1990 roku. Dzięki niemu można poznać zakamarki wszechświata!

Teleskop Kosmiczny Hubble'a

Która planeta znajduje się najdalej od Słońca?

Najdalej położony od Słońca jest Neptun. Raz na 248 lat „wyprzedza" nawet planetę karłowatą – Plutona.

Od 2006 r. Pluton nie jest uznawany za planetę, tylko za taką mini-planetę, planetę karłowatą.

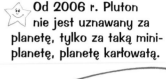

3 Pluton

3

1

Słońce

2

2 Neptun

1 Uran

Jeden z gazów tworzących zewnętrzne warstwy na Uranie to metan. To dzięki niemu planeta ma zielono-niebieski kolor.

Gdzie lody smakowałyby jak gorąca zupa?

Na Plutonie. Temperatura schodzi tam do −240°C! Jest tam tak zimno dlatego, że ta planeta karłowata jest bardzo oddalona od Słońca.
Pluton jest położony 40 razy dalej od Słońca niż Ziemia.

Skąd mamy informacje o najdalszych planetach?

Na temat Urana i Neptuna niewiele było wiadomo, dopóki amerykańska sonda Voyager 2 nie zbliżyła się do tych planet w 1986 i 1989 roku. Jest do nich za daleko, żeby obserwować je z Ziemi, nawet przez najlepsze teleskopy. Dzięki kamerom Voyagera 2 poznaliśmy 8 księżyców Neptuna. Astronomowie z Ziemi widzieli tylko dwa z nich. W latach 2002-2003 odkryto jeszcze 5 kolejnych satelitów tej planety.

Voyager 2 wystartował z Ziemi w 1977 roku i zbliżył się do Neptuna dwanaście lat później, w 1989 roku.

Która planeta ma największe księżyce?

Księżyce – satelity naturalne – to skaliste ciała niebieskie, które orbitują wokół planet. Jowisz ma aż 63 księżyce, z których trzy – Ganimedes, Kallisto i Io – są większe niż księżyc Ziemi. Merkury i Wenus są jedynymi planetami, które nie mają księżyców.

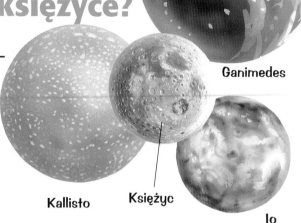

Ganimedes

Kallisto

Księżyc

Io

Na zdjęciach zrobionych przez sondę Voyager 2 Io wygląda jak olbrzymia pizza z serem i pomidorami. Taki kolor nadają jej wulkany.

Jak jest na Księżycu?

Księżyc jest skalisty i pokryty pyłem i nie ma na nim życia, wody zdatnej do picia ani powietrza, którym można oddychać. W dzień jest tam tak gorąco, że można by się ugotować, w nocy z kolei – przeraźliwie zimno. Nie jest to najlepsze miejsce na wakacje!

Jak szybkie rakiety kos[...]

Rakiety muszą poruszać się s[...]
11 kilometrów na sekundę, żel[...]
w kosmos. Oznacza to, że osią[...]
kilometrów na godzinę – a kie[...]
mandat za przekroczenie 1[...]
Gdyby rakiety nie mogły[...]
nie przezwyciężyłyby graw[...]

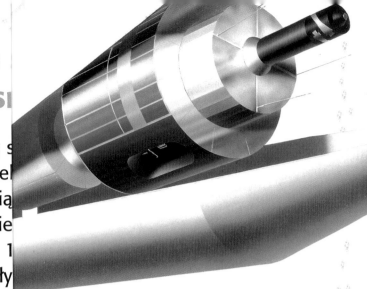

czego służą rakiety?

[...]ety są na ogół używane
[...]ysyłania maszyn nazywanych
[...]itami na orbitę ziemską. Satelity
[...]ełniają w kosmosie różne zadania.

⭐ Najwyższa rakieta, która
została kiedykolwiek
wystrzelona, to Saturn V.
To ona wyniosła Apollo 11
i pierwszych ludzi na Księżyc.

Statek kosmiczny

Ariane 4

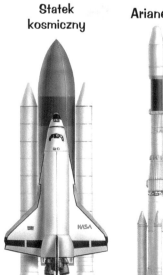

[...]komunikacyjne
[...]ują
[...]sygnały

[...].

⭐ Satelity
nawigacyjne
naprowadzają statki
i samoloty.

⭐ Niektóre satelity
pomagają
w prognozowaniu
pogody.

Dlaczego kosmonauci noszą kombinezony?

Kombinezon kosmiczny umożliwia astronautom spacery w pozbawionej powietrza przestrzeni kosmicznej na Księżycu (nie ma na nim atmosfery). Kombinezon, składający się z części garderoby, sprzętu oraz systemu umożliwiającego oddychanie, pozwala astronaucie na naturalne poruszanie się oraz komunikację.

Kosmonauci muszą mieć zapięte pasy, żeby nie odlecieć, kiedy siedzą w toalecie. Toalety kosmiczne nie są spłukiwane – wszystko jest wsysane.

Przebywanie w kosmosie wydłuża nas – kosmonauci wracają nawet o 5 centymetrów wyżsi!

Kosmonauci śpią w śpiworach, które są przywiązane do łóżka pasami, żeby nie latały w powietrzu. Muszą nawet krzyżować ręce, żeby nimi nie machać podczas snu!

Co to jest stan nieważkości?

To taki stan, w którym na jakiś obiekt działa jedynie siła grawitacji, której nic nie równoważy. Astronauta na statku kosmicznym czuje się tak, jakby nic nie ważył, i może „latać" po pokładzie!

Złote osłony w hełmach kosmonautów chronią ich oczy przed szkodliwymi promieniami Słońca.

Plecaki, które nazywają się MMU, umożliwiają kosmonautom poruszanie się w przestrzeni kosmicznej. Zawierają zbiorniki z tlenem oraz radia, dzięki którym można porozumiewać się ze statkiem kosmicznym i z ludźmi na Ziemi.

Dzieje kosmosu, Ziemi i nasze życie
składają się z różnych okresów. Jedne
wynikają z ruchów Ziemi i praw natury.
To od nich zależy, jaka jest pora roku,
gdzie na świecie jest noc, a gdzie
dzień. Ludzie zaś podzielili upływający
czas na dni i miesiące i liczą go
według zegarków lub kalendarza.
Każda pora dnia czy roku ma swoje
prawa. Zobaczmy, jak to wygląda
w różnych miejscach naszej
planety.

CZAS I PORY ROKU

Dlaczego rano wschodzi słońce?

Każdego ranka słońce pokazuje się na wschodzie. Jego światło wcześnie rano budzi zwierzęta. Rozpoczyna się nowy dzień.

Słońce tak naprawdę wcale nie wschodzi! To Ziemia obraca się i dlatego każdego ranka pokazuje się na niebie słońce. Ziemia jest jak obracająca się piłka. Gdziekolwiek jesteś, jasno robi się, kiedy twoja część Ziemi kieruje się w stronę Słońca. Wtedy rozjaśnia się niebo i rozpoczyna się nowy dzień.

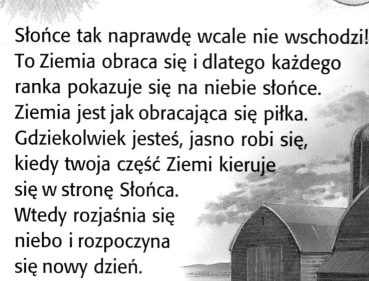

Starożytni Grecy wierzyli, że słońce było bogiem, którego nazywano Heliosem, i który jeździł po niebie w ognistym rydwanie.

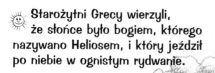

Nawet kiedy jest pochmurnie i ponuro, za chmurami zawsze świeci słońce.

Dlaczego nocą robi się ciemno?

Ziemia obraca się przez cały czas. W dzień słońce zdaje się wędrować po niebie. Kiedy mijają godziny, twoja część Ziemi przesuwa się, oddalając się od Słońca. Wydaje się wtedy, że słońce zatapia się w niebie i robi się ciemno. W ten sposób zaczyna się noc.

Ziemia potrzebuje 24 godzin, żeby obrócić się wokół własnej osi. Kiedy na jednej półkuli jest dzień, na drugiej jest noc.

Nocą jedna z półkuli jest schowana „w cieniu". Robi się wtedy ciemno i trzeba się cieplej ubrać.

Gdzie przez cały dzień jest noc?

Zimą tereny znajdujące się w okolicach biegunów pozbawione są światła słońca. Słońce jest wtedy tak nisko na niebie, że chowa się za horyzontem. Dlatego w ciągu dnia jest zimno i ciemno – nawet w południe.

☀ Po ciemnych zimowych dniach cudownie jest znowu zobaczyć słońce. Eskimosi w Ameryce Północnej świętowali kiedyś powrót słońca, zapalając w swoich domach nowe lampy.

☀ Latem na biegunach jest zupełnie inaczej! Słońce świeci rano, po południu i w nocy. Dla fok to musi być jak spanie przy włączonym świetle.

W północnej części Skandynawii zimowe dni są ciemne. W Sami lub Lapp dzieci chodzą do szkoły przy świetle księżyca i gwiazd.

Niektórzy ludzie są tak smutni w te ciemne dni, że chorują. Lekarze nazywają tę chorobę depresją zimową i zalecają swoim pacjentom naświetlanie specjalnymi lampami.

Gdzie wszystkie dni rozpoczynają się punktualnie?

W tropikalnych krajach niedaleko równika słońce wschodzi prawie zawsze o tej samej godzinie dnia i zachodzi prawie o tej samej porze każdego wieczoru! Dni i noce trwają mniej więcej po 12 godzin – każdej doby.

Dlaczego są różne pory roku?

Różne pory roku są dlatego, że Ziemia, obracając się wokół własnej osi, krąży po orbicie wokół Słońca. Każde okrążenie trwa rok. Podczas krążenia po orbicie najpierw jeden, a potem drugi biegun Ziemi przechylony jest w kierunku Słońca. W ten sposób zmieniają się pory roku.

4 We wrześniu żadna z półkuli nie jest nachylona w kierunku Słońca. Na północy jest wtedy jesień, a na południu wiosna.

PN

4

PD

PN

1

PD

1 W grudniu biegun północny jest odchylony najdalej od Słońca. Wtedy na północnej półkuli panuje zima. Z kolei na półkuli południowej jest lato.

☀ Podczas krążenia po orbicie Ziemia obraca się wokół własnej osi. Nie obraca się jednak w pionie, tylko jest lekko nachylona w jedną stronę.

Na przeciwległych półkulach są różne pory roku. W zależności od tego, gdzie jesteś, gdy ubierzesz się w kostium kąpielowy, możesz albo zmarznąć na kość, albo się opalić.

3 W marcu żaden z biegunów nie jest nachylony w stronę Słońca. Wtedy na północy jest wiosna, a na południu jesień.

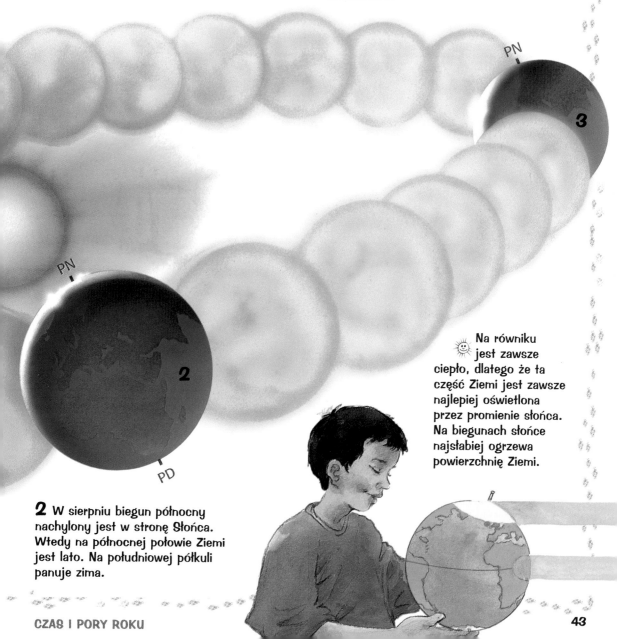

Na równiku jest zawsze ciepło, dlatego że ta część Ziemi jest zawsze najlepiej oświetlona przez promienie słońca. Na biegunach słońce najsłabiej ogrzewa powierzchnię Ziemi.

2 W sierpniu biegun północny nachylony jest w stronę Słońca. Wtedy na północnej połowie Ziemi jest lato. Na południowej półkuli panuje zima.

Dlaczego rośliny sadzi się wiosną?

Nasiona muszą mieć ciepło i wilgoć, żeby mogły wykiełkować. Kiedy słońce zaczyna ogrzewać glebę, rolnicy i ogrodnicy zaczynają ją kopać i sieją w niej nasiona. Trochę później wyrastają z nich rośliny.

Pszczoły rozróżniają na płatkach roślin wzory i kolory, których my nie widzimy. Są one dla pszczół sygnałami do lądowania, tak jak dla samolotów światła na pasach startowych.

Dlaczego pszczoły pracują przez całe lato?

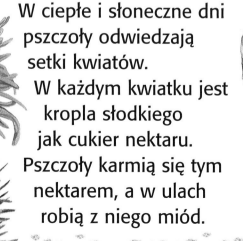

W ciepłe i słoneczne dni pszczoły odwiedzają setki kwiatów. W każdym kwiatku jest kropla słodkiego jak cukier nektaru. Pszczoły karmią się tym nektarem, a w ulach robią z niego miód.

Dlaczego jesienią spadają liście z drzew?

Jesienią drzewom liściastym jest trudniej pobierać wodę z zamarzniętej ziemi. Dlatego ich liście wysychają, robią się czerwone, złote i brązowe. Spadają na ziemię, a drzewa przez zimę są nagie. Wiosną na drzewach wyrosną nowe liście.

Nie wszystkie drzewa gubią liście. Drzewa iglaste mają silne igiełki, które radzą sobie z mrozem.

Dlaczego zwierzęta zapadają w sen zimowy?

Dla niektórych zwierząt spanie jest najlepszym sposobem na przetrwanie głodnych zimowych dni. Wiewiórki, jeże i niektóre niedźwiedzie jesienią jedzą jak najwięcej, a potem zasypiają w bezpiecznym miejscu i budzą się dopiero wiosną.

Wielu zwierzętom zimą wyrasta grube futro, które osłania je przed strasznym mrozem.

Gdzie są tylko dwie pory roku?

W wielu tropikalnych krajach są tylko dwie pory roku. Jedna jest bardzo mokra, a druga bardzo sucha. Niewielu drzewom udaje się przetrwać suszę, a zwierzęta wędrują setki kilometrów w poszukiwaniu jedzenia i wody.

☀ Wiele zwierząt migruje w różnych porach roku. Każdego roku całe chmary motyli monarchów przelatują z Meksyku aż 3 tysiące kilometrów, żeby lato spędzić nad chłodnymi jeziorami w Kanadzie.

☀ Podczas suszy ziemia jest twarda i gorąca. Wszystko jest pokryte warstwą pyłu.

W czasie suszy stada dzikich zwierząt wędrują po łąkach Afryki Środkowej – sawannach. Podążają w stronę chmur deszczowych, szukając wody i świeżej trawy.

Tereny tropikalne znajdują się przy równiku. Są to najcieplejsze obszary Ziemi.

Gdzie przez cały miesiąc pada deszcz?

W niektórych częściach Indii i Azji Południowo-Wschodniej występują długie pory deszczowe. Duże czarne chmury nadciągają latem od strony morza. Pora deszczowa trwa całe tygodnie, a deszcz zalewa pola i ulice.

Kto potrafi powiedzieć bez zegarka, która jest godzina?

Wszyscy to potrafimy! W każdym z nas jest coś takiego, co nazywamy zegarem biologicznym. To on nas budzi rano i mówi, że jest czas na śniadanie. Przez cały dzień wiemy, kiedy jest czas na pracę, zabawę i jedzenie. Kiedy nadchodzi wieczór, robimy się zmęczeni i szykujemy się do spania.

☀ Noworodki nie odróżniają dnia od nocy. Po prostu budzą swoich rodziców, kiedy są głodne.

☀ Różne zwierzęta żyją według różnych zegarów biologicznych. Pszczoła i borsuk zapewne nigdy się nie spotkają. Pszczoła jest aktywna w ciągu dnia, a borsuk w nocy.

Czy kwiaty wiedzą, która jest godzina?

Niektóre kwiaty są tak dobrymi zegarami, że rozchylają swoje płatki codziennie dokładnie o tej samej godzinie. Ogrodnicy czasem sadzą takie kwiaty tak, żeby powstał kształt zegara. Kwiatów jest 12 i otwierają się pojedynczo co godzinę.

Zwierzęta też mają zegary biologiczne. Zwierzęta w zoo i w zagrodach na wsi wiedzą, kiedy jest pora karmienia.

LEW

Czy zwierzęta wiedzą, która jest godzina?

Niektóre zwierzęta są aktywne w ciągu dnia, a inne tylko w nocy. Inne zwierzęta rozróżniają pory roku. Kanadyjskie zające wiedzą, kiedy nadejdzie zima. Ich futerko bieleje, żeby mogły chować się w śniegu przed lisami.

Który kalendarz był wyryty w skale?

Kilkaset lat temu w Ameryce Środkowej żyli Indianie, których nazywamy Aztekami. To oni zrobili kalendarz z wielkiego kamienia, który miał kształt słońca. Twarz boga słońca była wyryta w środku kamienia, a dookoła były wykute oznaczenia wszystkich dni.

Kto wynalazł nasz kalendarz?

Ponad 2000 lat temu rzymski władca, Juliusz Cezar, wynalazł kalendarz, którego używamy do dzisiaj. Obliczył, że każdy rok powinien mieć 365 dni, które podzielił na 12 miesięcy. Od tamtej pory kalendarz prawie w ogóle się nie zmienił.

Co to jest rok przestępny?

Co cztery lata mamy rok, który nazywa się rokiem przestępnym. Jest to rok, który ma 366 dni zamiast 365. Dodatkowy dzień dodaje się do końca lutego. Jeżeli masz urodziny 29 lutego, jesteś wyjątkowym szczęściarzem.

Rok przestępny jest podzielny przez cztery. Lata 1996, 2000, 2004 są latami przestępnymi.

$$4\overline{)2000} \quad 500$$
$$4\overline{)2004} \quad 501$$
$$4\overline{)1996} \quad 499$$

Do czego potrzebne nam są kalendarze?

Większość z nas potrzebuje kalendarza, żeby przypominał nam o wszystkich ważnych sprawach, które mamy zaplanowane na cały rok. Kalendarze przydają się nam również do zapisywania różnych informacji. Rozbitkowie i zakładnicy wynajdują najróżniejsze sposoby zaznaczania mijających dni.

Kto w Nowy Rok zapala lampy?

W Indiach Nowy Rok nazywany jest Świętem Świateł – i nic dziwnego! Miasta są udekorowane światełkami, a w każdym domu świecą lampy. Kobiety robią piękne kompozycje na podłodze, używając do tego kolorowej kredy, piasku i mąki. Swoje obrazy dekorują świeczkami.

W Chinach Nowy Rok świętuje się nawet przez 5 dni. Obchody rozpoczynają się między połową stycznia a połową lutego.

Kto Nowy Rok rozpoczyna uderzaniem w bębny?

W Chinach Nowy Rok rozpoczyna się uderzaniem w bębny i talerze, sztucznymi ogniami i tańcami lwów i smoków na ulicach miast. Cały ten hałas ma odpędzić złe dni z przeszłości i przynieść powodzenie w nadchodzącym czasie.

☀ Hindusi nazywają swój Nowy Rok świętem Diwali. Diwali nie jest obchodzone w styczniu, tylko w październiku lub listopadzie.

😊 W trakcie sylwestra w Ekwadorze i Republice Południowej Afryki ludzie spalają na stosie Stary Rok! Jest to kukła zrobiona ze słomy.

Kto Nowy Rok rozpoczyna dęciem w róg?

Żydowski festiwal noworoczny, który nazywa się Rosz ha-Szana, rozpoczyna się dęciem w barani róg. Ten dźwięk wzywa ludzi do synagogi, żeby modlili się do Boga o przebaczenie za ich złe uczynki w mijającym roku. Z początkiem nowego roku mają szansę na nowy start.

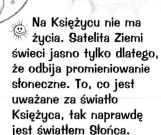

Jak długi jest miesiąc?

Na dzisiejszych kalendarzach miesiąc może mieć od 28 do 31 dni. Jednak w przeszłości miesiąc trwał tyle dni, ile mijało od jednej pełni Księżyca do następnej. Każdy miesiąc miał dokładnie tyle samo dni, czyli 29,5.

Na Księżycu nie ma życia. Satelita Ziemi świeci jasno tylko dlatego, że odbija promieniowanie słoneczne. To, co jest uważane za światło Księżyca, tak naprawdę jest światłem Słońca.

Pewien utwór muzyczny niemieckiego kompozytora Ludwika van Beethovena został nazwany sonatą Księżycową. Podczas słuchania tego utworu możemy sobie wyobrazić wschodzący księżyc.

Czy Księżyc zmienia kształt?

Księżyc tak naprawdę nie zmienia kształtu. Zmienia się tylko wielkość oświetlonej części Księżyca widocznej z powierzchni Ziemi. Kiedy Księżyc porusza się po swojej orbicie dookoła Ziemi, Słońce oświetla go z różnych kierunków. Najpierw wydaje się, że ta część, która jest oświetlona, robi się coraz większa, a potem coraz mniejsza.

Pierwszym człowiekiem, który wylądował na Księżycu, był Neil Armstrong, amerykański kosmonauta, który brał udział w misji Apollo 11 w lipcu 1969 roku.

Kto zjada księżyc?

Chińskie dzieci jedzą pyszne ciastka w kształcie księżyca podczas Święta Księżyca.
W trakcie wrześniowej pełni całe rodziny idą do parków z latarenkami.
Potem zjadają ciastka i podziwiają Księżyc!

Dlaczego tydzień ma siedem dni?

Nikt nie jest pewien, jak to się stało, że tydzień ma siedem dni. Możliwe, że wiele lat temu był to czas między jednym dniem targowym a następnym. A może była to jedna czwarta księżycowego miesiąca. Po upływie tych wszystkich lat wydaje się, że siedem dni to odpowiednia liczba.

Kiedy jest trzynasta godzina?

Oczywiście po godzinie 12! Do południa godziny są ponumerowane od 1 do 12. Po południu liczymy dalej: 13, 14... aż do 24.

Starożytni Grecy mieli dziesięciodniowy tydzień. Musieli długo czekać na początek weekendu.

Jak długa jest minuta?

Minuta nie jest długa – jest to tyle czasu, ile potrzeba, żeby obrać jabłko! Każda minuta ma 60 sekund, a 60 minut to jedna godzina. Liczbę 60 wybrano już 5000 lat temu – może dlatego, że jest podzielna przez wiele innych liczb.

Pierwsze zegary i zegary słoneczne pokazywały tylko godziny. Teraz ludzie potrzebują obliczać czas co do minuty – na przykład po to, żeby nie spóźniać się na pociąg.

Dlaczego mój zegarek cyka?

W twoim zegarku jest ukrytych ponad 20 malutkich kółeczek zębatych. Słychać je, jak cykają i tykają, kiedy zęby jednego kółka zahaczają o zęby innych kółek. Przesuwające się kółka odmierzają czas i przestawiają wskazówki zegarka.

Jak radzili sobie ludzie, zanim wynaleziono zegary?

Przed wynalezieniem zegarów ludzie określali, która jest godzina, obserwując słońce. Wstawali o wschodzie słońca i szli spać, gdy robiło się ciemno. Obiad jedli, kiedy słońce było wysoko na niebie, a kolację, kiedy obniżało się na niebie na zachodzie.

Jak działają stare zegary?

Stare wysokie zegary mają długie wahadła, które kołyszą się w lewo i w prawo w stałym rytmie. Za każdym razem w środku zegara przesuwają się powoli koła, które przestawiają wskazówki na tarczy zegara. Nakręcanie zegara kluczem powoduje, że przestaje się on spóźniać.

Zegary słoneczne są jednymi z najstarszych zegarów. Zamiast wskazówek wykorzystują cień, powstały dzięki promieniom słonecznym. Kiedy Ziemia obraca się w ciągu dnia, cień przesuwa się dookoła tarczy zegara.

59

Jak można obliczyć ułamek sekundy?

Dzisiejsze elektroniczne czasomierze są na tyle dokładne, że mogą odmierzać milionowe ułamki sekund. W trakcie zawodów zawodnikom mierzy się czas z dokładnością do setnych sekundy – to jest mniej czasu niż mrugnięcie okiem.

Jaki zegar był zrobiony z liny?

Około 400 lat temu prędkość statków była mierzona za pomocą kawałka drewna przyczepionego do liny. Marynarze wrzucali drewno do wody i liczyli, ile węzłów na linie zanurzało się w wodzie w czasie, kiedy statek płynął przed siebie. Żeby dokładnie to odmierzyć, używali klepsydry. Marynarze nadal odmierzają prędkość w węzłach. Jeden węzeł to niecałe 2 kilometry na godzinę.

Muzycy używają tykających przyrządów, zwanych metronomami, które pomagają im trzymać się tempa utworu podczas grania. Orkiestry ich nie potrzebują – mają swoich dyrygentów.

Jak ugotować jajko, wykorzystując piasek?

W klepsydrach do gotowania jajek piasek przesypuje się z góry na dół w ciągu czterech minut. I właśnie tyle czasu potrzeba, żeby ugotować jajko. Klepsydry są proste, dokładne i używane od setek lat. Kiedy klepsydra skończy odmierzać czas, wystarczy ją odwrócić do góry nogami i można odmierzać dalej!

Rowerzyści przyczepiają sobie do kół rowerów prędkościomierze, żeby wiedzieć, jak szybko jadą.

Która godzina jest na Ziemi?

To, która jest godzina, zależy od tego, gdzie jesteś! Dokładnie w tym samym momencie zegary w różnych częściach świata będą wskazywały zupełnie inną godzinę. Każdy kraj ustala swoją godzinę tak, żeby południe wypadało wtedy, kiedy słońce jest najwyżej na niebie. W ten sposób wszyscy wstają, kiedy zaczyna robić się jasno, i idą spać, kiedy jest ciemno.

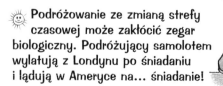

Podróżowanie ze zmianą strefy czasowej może zakłócić zegar biologiczny. Podróżujący samolotem wylatują z Londynu po śniadaniu i lądują w Ameryce na... śniadanie!

ALASKA

NOWY JORK

Nowy Jork, USA
Jest południe – czas na drugie śniadanie!

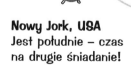

62

Środkowa Syberia, Rosja
Jest środek nocy.
Dzień się skończył.

Żeby było wiadomo, gdzie jest która godzina, Ziemia została podzielona na 24 części – na takie podłużne paski, jak na piłce plażowej. To są właśnie strefy czasowe i jest ich po jednej na każdą godzinę dnia. Niektóre duże kraje mają więcej niż jedną strefę czasową.

Która godzina jest w kosmosie?

Będąc w kosmosie, ciężko domyślić się, która jest godzina – zegary tam nie działają i nie można skorzystać z „pomocy" Słońca, Księżyca albo Ziemi! Kosmonauci utrzymują kontakt z bazą i posługują się czasem ziemskim. Dlatego godzinę podaje im radio, a nie zegarki!

Nigeria
Jest 6 po południu.
Dzieci wróciły już ze szkoły.

SYBERIA

NIGERIA

Jak długo żyją ludzie?

Większość kobiet żyje dłużej niż mężczyźni. Najstarsza kobieta miała 120 lat.

Większość z nas będzie obchodzić 70. urodziny – oby w zdrowiu i pełni sił! Ludzie żyją mniej więcej tyle samo lat, co słonie, kruki i niektóre papugi!

Egipski król Tutanchamon umarł, gdy miał zaledwie 18 lat, ale jego grób przetrwał 3000 lat.

Jak długo żyją jętki?

Niektóre jętki żyją tylko jeden dzień. Rozkładają swoje skrzydła po raz pierwszy rano, a w nocy składają je po raz ostatni. Tyle czasu wystarcza im, żeby złożyć jaja, zanim umrą.

Koty żyją około 15 lat. Myszy tylko dwa lata – i to pod warunkiem że nie zostaną wcześniej złapane!

Jak długo żyją drzewa?

Drzewa rosną bardzo wolno i długo żyją. Większość drzew żyje od 100 do 250 lat, ale niektóre sosny mają nawet 4500 lat. Są to jedne z najstarszych żywych organizmów na Ziemi.

Pień drzewa co roku staje się szerszy o jeden pierścień. Licząc pierścienie na pniaku, można określić, ile lat miało ścięte drzewo.

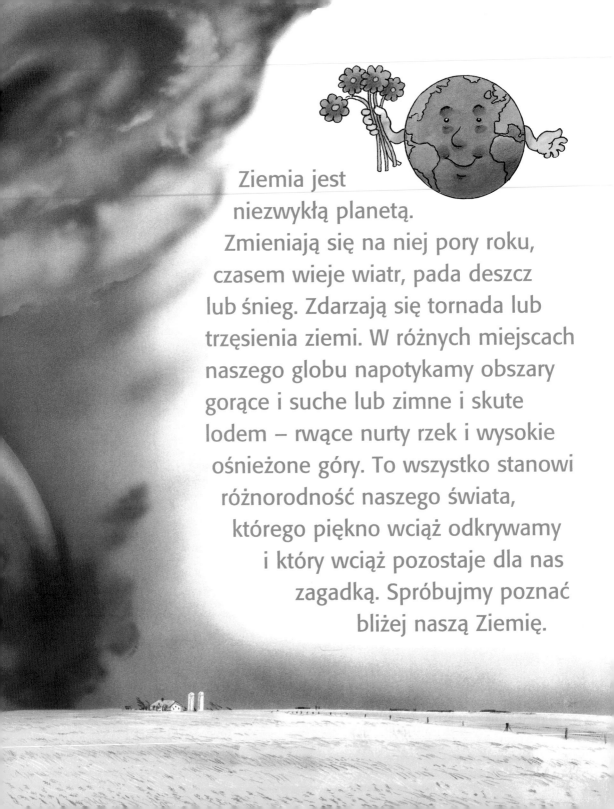

Ziemia jest
niezwykłą planetą.
Zmieniają się na niej pory roku,
czasem wieje wiatr, pada deszcz
lub śnieg. Zdarzają się tornada lub
trzęsienia ziemi. W różnych miejscach
naszego globu napotykamy obszary
gorące i suche lub zimne i skute
lodem – rwące nurty rzek i wysokie
ośnieżone góry. To wszystko stanowi
różnorodność naszego świata,
którego piękno wciąż odkrywamy
i który wciąż pozostaje dla nas
zagadką. Spróbujmy poznać
bliżej naszą Ziemię.

NASZA
PLANETA

Czy Ziemia jest okrągła?

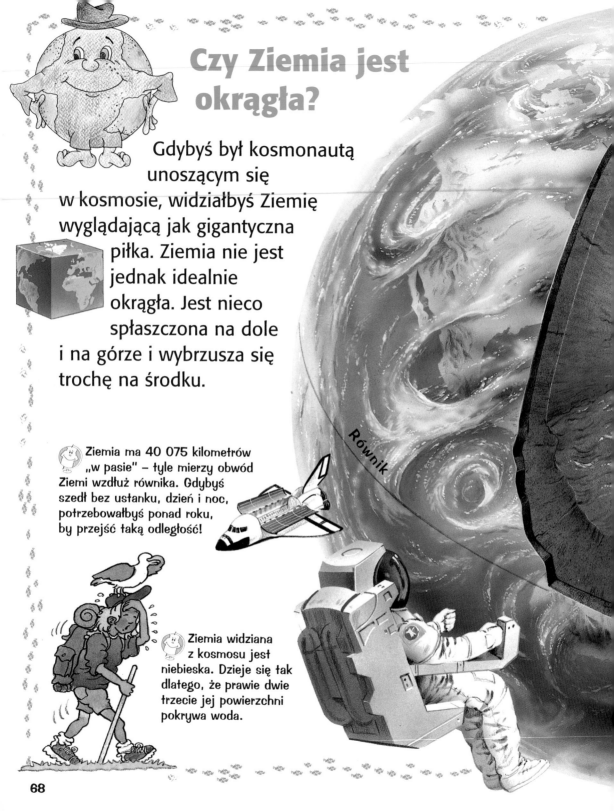

Gdybyś był kosmonautą unoszącym się w kosmosie, widziałbyś Ziemię wyglądającą jak gigantyczna piłka. Ziemia nie jest jednak idealnie okrągła. Jest nieco spłaszczona na dole i na górze i wybrzusza się trochę na środku.

Ziemia ma 40 075 kilometrów „w pasie" – tyle mierzy obwód Ziemi wzdłuż równika. Gdybyś szedł bez ustanku, dzień i noc, potrzebowałbyś ponad roku, by przejść taką odległość!

Równik

Ziemia widziana z kosmosu jest niebieska. Dzieje się tak dlatego, że prawie dwie trzecie jej powierzchni pokrywa woda.

Skorupa ziemska to skalna warstwa pod twoimi stopami.

Płaszcz Ziemi to gruba warstwa skał. Jest tak gorąca, że część skał się roztopiła.

Jądro Ziemi jest zbudowane z metalu. Jądro zewnętrzne jest płynne, jądro wewnętrzne jest metaliczne.

Jądro zewnętrzne

Jądro wewnętrzne

W samym środku Ziemi jest bardzo gorąco – temperatura przekracza tam 5000°C. To 150 razy cieplej niż w bardzo upalny letni dzień!

Z czego składa się Ziemia?

Ziemia składa się z kilku warstw różnych skał i metali. Niektóre warstwy są twarde, inne jednak są tak gorące, że stopiły się na gęstą maź przypominającą miękkie, kleiste toffi.

Skorupa ziemska nie kończy się na morskich brzegach. Rozciąga się pod dnem najgłębszych oceanów.

Ile lat ma Ziemia?

Naukowcy uważają, że Ziemia powstała około 4,6 miliardów lat temu – choć, oczywiście, nie było wtedy nikogo, kto mógłby zobaczyć to na własne oczy! Prawdopodobnie w tym samym czasie powstał też Księżyc.

Ludzie zamieszkują Ziemię od bardzo niedawna. Jeśli wyobrazisz sobie, że cała historia Ziemi, licząca 4,6 miliardów lat, została „ściśnięta" w jeden rok, to ludzie pojawili się na Ziemi dopiero wieczorem 31 grudnia!

Około 200 milionów lat temu na Ziemi istniał tylko jeden superkontynent, noszący nazwę Pangea.

Pangea

Około 180 milionów lat temu Pangea zaczęła się rozdzielać na mniejsze kontynenty.

Kontynenty są olbrzymimi kawałkami jednego lądu. Przekalkuj ich kształty z mapy, spróbuj je połączyć i zobaczysz, że kiedyś musiały do siebie pasować.

Emu żyją w Australii, nandu w Ameryce Południowej, a strusie w Afryce. Wszystkie są do siebie bardzo podobne i żadne z nich nie potrafi latać. Niewykluczone, że wszystkie są spokrewnione z jednym gatunkiem ptaka. Być może ptak ten zamieszkiwał przed milionami lat wszystkie trzy kontynenty, kiedy jeszcze były jednym lądem.

Azja

Europa

Afryka

Australia

Ameryka Północna

Ameryka Południowa

Antarktyda

Czy Ziemia bardzo się zmieniła?

O tak! Około 300 milionów lat temu niemal cały ląd był połączony w jedną wielką całość. Potem ów ogromny ląd zaczął pękać i rozdzielać się na mniejsze kawałki, zwane kontynentami. Kontynenty powoli odsuwały się od siebie, aż zawędrowały do miejsc, w których są dzisiaj.

Około 65 milionów lat temu kontynenty odsunęły się od siebie jeszcze dalej.

Dziś kontynenty nadal się przesuwają.

Ameryka Północna i Europa wciąż odsuwają się od siebie o około cztery centymetry na rok. To mniej więcej tyle, ile długość twojego kciuka.

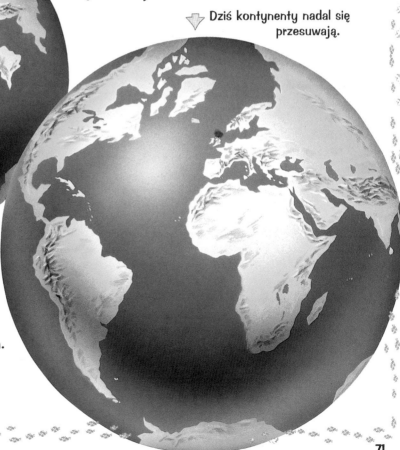

Gdzie są najwyższe góry?

Słowo „Himalaje" oznacza „dom śniegu". To trafna nazwa dla tych ogromnych, ośnieżonych gór.

Najwyższe góry świata to Himalaje, położone w Azji. Są tak wysokie, że nazywa się je „dachem świata". Na strzelistych szczytach Himalajów jest bardzo zimno. Okrywa je gruba warstwa śniegu i lodu, który nigdy nie topnieje.

Oto najwyższe szczyty:

Mount Everest 8848 m n.p.m. (Azja)

Aconcagua 6959 m n.p.m. (Ameryka Płd.)

McKinley 6194 m n.p.m. (Ameryka Płn.)

Kilimandżaro 5895 m n.p.m. (Afryka)

Vinson 5139 m n.p.m. (Antarktyda)

Mont Blanc 4807 m n.p.m. (Europa)

Góra Kościuszki 2228 m n.p.m. (Australia)

Czy góry mogą się kurczyć?

Wiele gór bez ustanku się zmniejsza. Każdego dnia lód, śnieg i woda zabierają ze sobą drobne odłamki skał. Niektóre góry z kolei stają się coraz większe. Ruchy skorupy ziemskiej wciąż wypychają w górę Himalaje.

Na Hawajach znajduje się wulkan Mauna Kea, który jest o ponad 1300 metrów wyższy od Mount Everestu, jednak większa jego część znajduje się pod wodą.

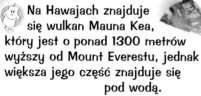

Im wyżej się wspinasz, tym robi się zimniej. Wiele zwierząt żyjących wysoko w górach, np. kozice, lamy lub jaki, ma grubą sierść, która chroni je przed chłodem.

Które góry plują ogniem?

Wulkany to góry, z których bucha czasem gorący popiół, gaz i roztopiona, gorąca skała zwana lawą. Gaz i ognista lawa pochodzą z głębi Ziemi i wydostają się na powierzchnię przez szczeliny w skorupie ziemskiej.

Wierzchołek wulkanu, przypominający spodek, jest nazywany kraterem. Czasami krater wygasłego wulkanu wypełnia się wodą deszczową i powstaje piękne jezioro.

Na stałym lądzie jest ponad pięćset czynnych wulkanów. Jeszcze więcej kryje się pod wodą.

Czy na wulkanach mieszkają ludzie?

To dość ryzykowne, ale na zboczach wulkanów mieszka wielu ludzi – szczególnie rolników. Ziemia z dodatkiem popiołu wulkanicznego jest bardzo żyzna, więc rolnicy zbierają tutaj większe i obfitsze plony. Muszą jednak umieć szybko biegać!

W kosmosie także są wulkany. Olympus Mons na Marsie jest trzy razy wyższy od Mount Everestu.

Uważajcie piloci! Popiół i pył z wulkanu mogą się dostać do silników samolotu i unieruchomić je.

Co sprawia, że ziemia się trzęsie?

Powierzchnia Ziemi składa się z ogromnych skalnych płyt, które unoszą się na roztopionej skale ukrytej głębiej. Czasami te płyty uderzają o siebie i ścierają się ze sobą, wywołując w ten sposób trzęsienie ziemi.

Podczas najgorszych trzęsień w ziemi pojawiają się ogromne szczeliny, zapadają się całe ulice, a budynki zamieniają się w sterty gruzu.

Największe zagrożenie podczas trzęsienia ziemi stanowią zawalające się budynki. Możesz ocaleć, jeśli ukryjesz się pod stołem lub pod skrzydłem drzwi.

Czy ludzie potrafią przewidzieć nadejście trzęsienia ziemi?

Naukowcy, którzy badają trzęsienia ziemi, to sejsmolodzy. Choć wiedzą już, gdzie może dojść do trzęsienia ziemi, zazwyczaj nie potrafią przewidzieć, kiedy się to stanie.

Ludzie od lat próbują projektować budynki odporne na trzęsienia ziemi. Niektóre spośród najnowszych budynków mają kształt piramid lub stożków.

Zwierzęta wyczuwają drżenie gruntu o wiele wcześniej niż my. Psy wyją wtedy ze strachu, węże wypełzają z nor, a kury uciekają co sił w nogach!

Mieszkańcy starożytnych Chin wierzyli, że Ziemia znajduje się na grzbiecie gigantycznego wołu. Ich zdaniem trzęsienia zdarzały się wtedy, kiedy wół przesuwał Ziemię z jednej strony grzbietu na drugą.

Co to jest Komnata Świec?

Głęboko pod zboczami gór we wschodnich Włoszech znajduje się magiczna jaskinia, znana jako Komnata Świec. Nazwa ta pochodzi od białych skalnych szpiców, które wyrastają z dna jaskini niczym świece. W rzeczywistości są to stalagmity. Rosną one w małych skalnych zagłębieniach przypominających podstawki na świece.

Podobnie jak wszystkie jaskinie, Komnata Świec została wydrążona przez wodę deszczową, wypłukującą skałę.

Przed tysiącami lat jaskinie dawały schronienie ludziom pierwotnym. Ludzie ci malowali na ścianach jaskiń sylwetki bizonów i mamutów.

Ludzie, którzy lubią badać tajemniczy świat podziemnych tuneli i jaskiń, są nazywani grotołazami.

Nietoperze uwielbiają ciemności panujące w jaskiniach. Śpią w nich w ciągu dnia i używają ich jako wylęgarni dla swoich młodych.

Nie można zobaczyć, jak rośnie stalaktyt. Przeciętnie odbywa się to w tempie jednego centymetra na tysiąc lat!

Czym różnią się stalaktyty od stalagmitów?

Zarówno stalaktyty, jak i stalagmity są długie i spiczaste, niczym sople zrobione ze skały. Różnią się jedynie tym, że skierowane w dół stalaktyty wyrastają ze stropu jaskini, a skierowane w górę stalagmity – z podłoża.

Kto żyje w ciemnych jaskiniach? Jaszczurki i robaki!

Gdzie zaczynają się rzeki?

Rzeka rodzi się jako maleńki strumień. Niektóre strumienie zaczynają się tam, gdzie z ziemi wytryskuje źródło. Inne spływają z gór, gdzie topią się ogromne lodowce. Jeszcze inne wypływają z jezior.

Z niektórych gór ogromne rzeki lodu zsuwają się powoli w dół zbocza. Te lodowe rzeki są nazywane lodowcami.

1 Deszcz spada na góry i wsiąka w ziemię.

2 Woda wypływa ze źródła.

3 Strumień łączy się z innymi, tworząc wartką rzekę.

4 Rzeka dociera na równiny. Staje się szersza i płynie wolniej.

Dlaczego rzeki w dolnym biegu płyną tak woln

U podnóża góry grunt staje się bardziej płaski, a nurt rzeki zwalnia. Zamiast pędzić w dół, w prostej linii, rzeka płynie wielkimi zakolami, zwanymi meandrami.

Gdzie kończą się rzeki?

Większość rzek kończy swą podróż w morzu. Ujście rzeki to miejsce, gdzie słodka woda rzeczna miesza się ze słoną wodą morską.

Najdłuższa rzeka na świecie to Amazonka, mająca ponad 7000 km długości. Zaraz po niej jest Nil.

Niektóre rzeki nie wpływają do morza. Wpadają do jezior lub wsiąkają w ziemię.

Najkrótsza rzeka na świecie to D River w Stanach Zjednoczonych. Ma 37 metrów długości, czyli tyle, ile dziesięć kajaków.

5 Rzeka czasami przecina jeden ze swoich własnych zakrętów – zostawia wtedy po sobie półkoliste jezioro.

Ptaki uwielbiają żerować przy ujściu rzeki. Wyciągają robaki żyjące w brejowatym błocie!

6 U ujścia rzeka łączy się ze słonymi wodami morza.

Jak wysoko jest niebo?

Niebo jest częścią niewidzialnej powłoki otaczającej Ziemię. Powłoka ta jest nazywana atmosferą i sięga w kosmos na wysokość około 500 kilometrów.

Atmosfera zawiera bardzo ważny gaz, tlen – wszyscy oddychamy tlenem, który utrzymuje nas przy życiu.

Jeśli na Ziemi zrobi się zbyt ciepło, lód na biegunach stopnieje. Wtedy podniesie się poziom wody na całej planecie, a morza i oceany zaleją miasta na wybrzeżach.

Ziemia jest jedyną znaną nam planetą, na której jest dość tlenu, by mogło powstać i rozwijać się życie.

Co to jest efekt cieplarniany?

Efekt cieplarniany to nazwa, którą naukowcy nadali pewnemu palącemu problemowi. Zanieczyszczenia i gazy wytwarzane przez różne fabryki, elektrownie i samochody gromadzą się w atmosferze i zatrzymują przy Ziemi zbyt dużo ciepła. Na naszej planecie robi się powoli coraz cieplej – jak w cieplarni latem.

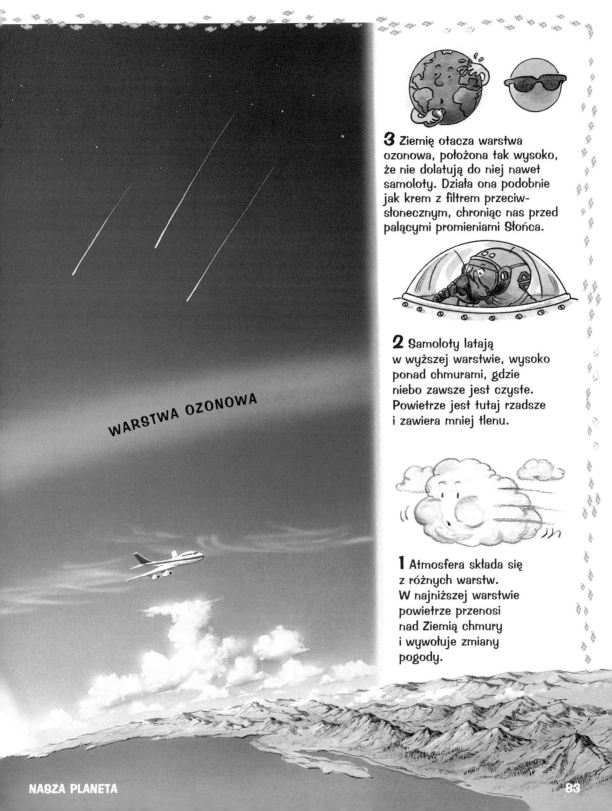

3 Ziemię otacza warstwa ozonowa, położona tak wysoko, że nie dolatują do niej nawet samoloty. Działa ona podobnie jak krem z filtrem przeciwsłonecznym, chroniąc nas przed palącymi promieniami Słońca.

2 Samoloty latają w wyższej warstwie, wysoko ponad chmurami, gdzie niebo zawsze jest czyste. Powietrze jest tutaj rzadsze i zawiera mniej tlenu.

1 Atmosfera składa się z różnych warstw. W najniższej warstwie powietrze przenosi nad Ziemią chmury i wywołuje zmiany pogody.

WARSTWA OZONOWA

Z czego są zrobione chmury?

Niektóre chmury wyglądają tak, jakby były zrobione z wełny – ale tak nie jest! Chmury składają się z miliardów maleńkich kropelek wody i kryształków lodu. Te kropelki i kryształki są tak lekkie, że unoszą się w powietrzu.

Jeśli mieszkasz na górze Waialeale na Hawajach, z pewnością masz co najmniej kilka parasoli. Deszcz pada tam przez ponad 335 dni w roku.

Bez deszczu nie rosłyby żadne rośliny. Co byśmy wtedy jedli?

Kiedy z chmur pada deszcz?

Deszcz spada wtedy, kiedy kropelki w chmurze zaczynają się ze sobą łączyć. Stają się coraz większe i cięższe, aż w końcu są zbyt ciężkie, by unosić się w powietrzu, spadają więc na ziemię w postaci deszczu.

Słyszałeś kiedyś o spadających z nieba żabach lub rybach? To może zdarzyć się naprawdę. Czasami bardzo silny wiatr porywa drobne zwierzęta ze stawów lub jezior. Później spadają one na ziemię wraz z deszczem.

Jak zimny jest śnieg?

Płatki śniegu to kropelki wody, które zamarzły i zamieniły się w kryształki lodu. By pozostać w takiej formie, muszą znajdować się w temperaturze nie wyższej niż 0°C. Jeśli zrobi się cieplej, topnieją.

Największy bałwan, jakiego kiedykolwiek ulepiono, miał 22 metry wysokości. To mniej więcej tyle, ile siedmiopiętrowy budynek.

Gdzie rodzą się burze?

Burze tworzą się w wielkich czarnych chmurach burzowych, które czasami powstają pod koniec gorącego letniego dnia. We wnętrzu takiej chmury wieje bardzo silny wiatr, który porywa ze sobą krople wody, cała chmura naładowana jest też elektrycznością. Ładunki elektryczne pojawiają się na niebie jako ogromne, oślepiające iskry zwane błyskawicami lub piorunami.

Podczas burzy najbezpieczniej jest zostać w domu. Nigdy nie chowaj się pod drzewem – może uderzyć w nie piorun.

Pewien Amerykanin został trafiony piorunem aż siedem razy! Pioruny dwukrotnie spaliły włosy i brwi Roya C. Sullivana, mężczyzna stracił też duży palec u nogi.

Błyskawica uderza z prędkością 140 tysięcy kilometrów na sekundę!

By dowiedzieć się,
jak daleko od ciebie jest
burza, licz sekundy pomiędzy
błyskawicą i grzmotem. Każde
trzy sekundy to jeden kilometr
odległości.

Największe chmury burzowe mogą
mieć nawet 16 kilometrów wysokości.
To prawie dwa razy więcej niż wysokość
Mount Everestu.

Czym jest grzmot?

Błyskawice są niesamowicie gorące.
Kiedy rozbłyskują na niebie, podgrzewają
powietrze tak szybko, że wytwarza się
niski dźwięk przypominający
eksplozję. To właśnie jest grzmot.

Co to jest tornado?

Tornado to wirujący wiatr, który przesuwa się po ziemi, wciągając wszystko, co staje mu na drodze. Tornada występują głównie w Ameryce Północnej.

Huragan to inny rodzaj wirującego wiatru, który powstaje najczęściej nad ciepłymi morzami tropikalnymi. Huragan może wiać z prędkością dochodzącą do 240 kilometrów na godzinę.

W 1931 roku w USA tornado podniosło w powietrze pociąg i zrzuciło go do rowu.

Powietrze jest niewidzialne, więc nie możesz zobaczyć wiatru. Możesz go jednak czuć na twarzy, widzisz też, jak kołysze drzewami.

Dlaczego wieje wiatr?

Kiedy czujesz powiew wiatru, to znaczy, że porusza się powietrze. Powietrze przemieszcza się wtedy, kiedy jest ciepłe. Robi się wówczas lżejsze i podnosi się ku niebu. W jego miejsce wpływa chłodniejsze powietrze i tak właśnie powstaje wiatr.

Oto dowód na to, że ciepłe powietrze się podnosi. Połóż piórko na ciepłym grzejniku i obserwuj, jak wędruje w górę, wraz z unoszącym się powietrzem.

Jak często w lesie deszczowym pada deszcz?

W lesie deszczowym pada niemal codziennie, ale nie przez cały dzień. Powietrze staje się coraz gorętsze, robi się coraz parniej, aż wreszcie po południu nadchodzi potężna burza. Potem niebo znów się wypogadza.

Największy las deszczowy – puszcza amazońska – na świecie znajduje się w Ameryce Południowej. Ciągnie się przez tysiące kilometrów wzdłuż brzegów Amazonki.

Gdzie są lasy deszczowe?

Miejsca, gdzie rosną lasy deszczowe, są zaznaczone zielonym kolorem na mapce powyżej. To najcieplejsze obszary na Ziemi, położone w pobliżu równika.

Anakondy to ogromne węże. Kryją się w mętnych wodach Amazonki, czekając, na jakiś smaczny posiłek...

W lasach deszczowych żyje ponad połowa wszystkich zwierząt i roślin, jakie można znaleźć na Ziemi.

Ta książka zaczęła swój żywot jako pień drzewa! Większość papieru pochodzi z drzew iglastych, takich jak świerk czy sosna.

Gdzie jest największy las?

Największy las – tajga – ciągnie się przez górną część Europy i Azji. Drzewa tworzące ten las to drzewa iglaste – mają wąskie i twarde liście zwane igłami.

Niedźwiedzie brunatne i wilki żyją w ciemnych lasach Północy. Renifery chronią się tam podczas długich i mroźnych zim.

Gdzie nigdy nie pada?

Pustynie to najsuchsze miejsca na Ziemi. Na niektórych pustyniach nigdy nie pada deszcz. Na innych nie pada całymi miesiącami lub latami. Wiatr usypuje piasek w wielkie hałdy, zwane wydmami.

Pustynia Atakama w Chile, w Ameryce Południowej, to najsuchsza pustynia na Ziemi. Deszcz nie padał tam przez czterysta lat. Potem, niespodziewanie, w roku 1971 na pustynię spadła ulewa.

Wielu ludzi mieszkających na pustyni to koczownicy. Wędrują z miejsca na miejsce wraz ze swymi zwierzętami, szukając jedzenia i wody.

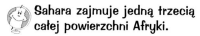 Sahara zajmuje jedną trzecią całej powierzchni Afryki.

Która pustynia jest najbardziej piaszczysta?

Sahara w Afryce Północnej jest największą pustynią na Ziemi. Ogromne połacie tej pustyni są pokryte piaszczystymi wzgórzami. Jednak powierzchnia pustyni nie zawsze jest piaszczysta. W dużej części pokrywają ją skały lub żwir i drobne kamienie.

Najwyższy zamek z piasku, jaki kiedykolwiek zbudowano, mierzył tyle, ile troje dorosłych ludzi.

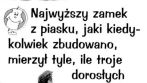

Piasek nawiewany przez wiatr może ściągnąć z samochodu farbę niczym ogromny arkusz papieru ściernego.

Jak gorąco jest na pustyni?

Na najgorętszych pustyniach temperatura dochodzi do 50°C, a trudno tam znaleźć choćby skrawek cienia. W nocy robi się jednak bardzo zimno.

Jak wyglądają bieguny?

Niedźwiedzie polarne żyją na biegunie północnym, a pingwiny na biegunie południowym, więc nigdy nie mogą się spotkać!

Biegun północny i południowy to dwa krańce Ziemi. To bardzo mroźne miejsca, smagane przenikliwym wiatrem. Lód i śnieg ciągną się tu jak okiem sięgnąć – nie jest to najlepsze miejsce na wakacje!

Antarktyda to ogromny, pokryty lodem kontynent na biegunie południowym. Lód pokrywający Antarktydę ma miejscami prawie pięć kilometrów grubości.

Gdzie jest najzimniejsze miejsce na Ziemi?

Stacja Wostok położona na Antarktydzie to naprawdę bardzo zimne miejsce. Temperatura sięga tutaj zwykle −58°C, kiedyś jednak spadła do −89°C – była to najniższa temperatura, jaką kiedykolwiek zanotowano na Ziemi!

Góra Erebus z pewnością jest najcieplejszym miejscem na Antarktydzie. To czynny wulkan!

Gdzie żyją niedźwiedzie polarne?

Niedźwiedzie polarne żyją wokół Morza Arktycznego, w pobliżu bieguna północnego. Co ciekawe, nigdy nie żyły na Antarktydzie, choć jest tam pod dostatkiem jedzenia i równie dużo śniegu i lodu.

Góry lodowe unoszą się na powierzchni morza. Niegdyś były częścią rzek lodu, zwanych lodowcami.

Niedźwiedzie polarne nigdy nie ślizgają się na lodzie. Szorstka skóra i włosy na podeszwach łap zapewniają im doskonałą przyczepność.

Większą część
powierzchni Ziemi
zajmują morza
i oceany. Ich brzegi
zamieszkują ptaki, skorupiaki i inne stworzenia.
Głębiny kryją niezliczone skarby – ryby rozmaitych
kształtów i kolorów, rośliny, rafy koralowe.
To, jak powstały i gdzie występują, od zawsze
interesowało ludzi – przecież życie
na Ziemi rozwinęło się w wodzie.
Poznajmy bliżej świat mórz
i oceanów oraz ich
mieszkańców.

MORZA
I
OCEANY

Jak duży jest ocean?

Ocean jest naprawdę olbrzymi! Zajmuje dwa razy więcej miejsca na Ziemi niż ląd. Tak naprawdę składa się on z czterech oceanów – Pacyfiku, Atlantyku, Oceanu Indyjskiego i Arktycznego. Pomimo różnych nazw wszystkie te wody łączą się i tworzą jeden wielki ocean.

Lepiej nie kąpać się w Oceanie Arktycznym. To najzimniejszy ocean ze wszystkich i przez większą część roku jest pokryty lodem.

Który ocean jest największy?

Kropelki wody symbolizują wielkość oceanów.

Pacyfik jest zdecydowanie największym oceanem. Jest większy niż pozostałe trzy oceany razem wzięte i jest też o wiele głębszy. Patrząc na globus, szybko można zauważyć, że Pacyfik zajmuje prawie połowę kuli ziemskiej.

Pacyfik

Jaka jest różnica między morzem a oceanem?

Atlantyk

Ocean Indyjski

Ludzie często używają słów „morze" i „ocean", mówiąc o tym samym. Nic w tym złego, ale dla naukowców morza są tylko częścią oceanu – są to te części, które są najbliżej lądu. Na przykład Morze Śródziemne znajduje się pomiędzy Europą i Afryką.

Ocean Arktyczny

100

Dlaczego morze jest słone?

Woda morska jest słona, dlatego że jest w niej sól! To jest ta sama sól, którą przyprawiamy jedzenie. Większość tej soli pochodzi ze skał, które są na brzegu morza. Deszcz zmywa sól do rzek, które potem wpływają do morza.

Część soli morskiej, której używamy w kuchni, pochodzi z ciepłych krajów, takich jak Indie. Ludzie budują tam specjalne „poletka", żeby zgromadzić na nich wodę w trakcie przypływów. Kiedy woda wyparuje, na poletkach zostaje sama sól.

Większość wody na kuli ziemskiej jest słona. Tylko jej mała część jest czysta i nadaje się do picia.

Czy Morze Czerwone jest naprawdę czerwone?

Niektóre plaże nad Morzem Martwym są pokryte gęstym, ciemnym mułem. Ludzie smarują się nim od stóp do głów, bo ma korzystny wpływ na skórę.

Niektóre części Morza Czerwonego wyglądają, jakby były czerwone. Latem w morzu tym rosną miliony czerwonych glonów. Nie bój się, pływając w tym morzu, nie staniesz się różowy!

Czego najbardziej bali się żeglarze?

W dawnych czasach żeglarze musieli sobie radzić z niesmacznym jedzeniem, sztormami... i atakami piratów! Piraci przemierzali dalekie wody i napadali na statki handlowe, załadowane towarami i skarbami. Kiedy dogonili taki statek, wchodzili na jego pokład, atakowali załogę i kradli wszystkie wartościowe rzeczy.

Tak naprawdę piraci wcale nie kazali ludziom wyskakiwać za burtę. Ale piraci, o których możesz przeczytać w różnych książkach przygodowych, często tak robią.

Czarnobrody był jednym z najokrutniejszych piratów. Aby wyglądać jeszcze straszniej, doczepiał sobie do brody linę i ją podpalał.

Kobiety rzadko były piratami. Dwie najsłynniejsze kobiety piraci to Anne Bonny i Mary Read. Przebierały się one za mężczyzn.

Kto pierwszy opłynął świat dookoła?

W 1519 roku flota pięciu statków wypłynęła z Hiszpanii w podróż dookoła świata. Ich kapitan, Ferdynand Magellan, został zabity podczas wyprawy. Tylko jeden statek z 18 ludźmi na pokładzie wrócił z tej wyprawy. Trwała ona trzy lata.

Załoga Magellana miała ciężkie życie. Kiedy skończyła jej się żywność, musiała jeść pieczoną skórę.

Z czego zrobiony jest piasek?

Piasek nie zawsze jest żółty. Na niektórych plażach piasek jest czarny, różowo-biały, a nawet zielony.

Przyjrzyj się dokładnie garstce piasku, a zauważysz drobinki skał i muszelek. Drobinki skał pochodzą z klifów, które zostały rozbite przez deszcze i morze. Muszelki są nanoszone przez przypływy i rozbijane przez uderzające fale.

Jeżeli powiesimy wodorosty gdzieś na zewnątrz, mogą one pomóc w przewidywaniu pogody! Jeśli napęcznieją, to znaczy, że zbliża się deszcz. Jeżeli wyschną, będzie słoneczna pogoda.

Rozbójnicy morscy oszukiwali kapitanów statków, świecąc lampami tak, żeby statek rozbił się o skały. Wtedy kradli z pokładu wartościowe rzeczy i ukrywali je w jaskiniach.

Jak powstają jaskinie?

Kiedy fale smagają klify piaskiem i kamieniami, skały stopniowo się wykruszają. Na początku fale drążą mały otwór, a potem wielką dziurę. Po wielu latach z tej dziury powstaje ciemna, wilgotna jaskinia, w której wszędzie ścieka woda.

Tropikalna plaża może wydawać się opustoszała, ale zadomowiło się na niej mnóstwo różnych roślin i zwierząt.

Na plaży często można znaleźć morskie muszle. Ich właściciele najprawdopodobniej zostali zjedzeni!

Dlaczego ślimaki przyczepiają się do skał?

Tak jak inne zwierzęta z morskich brzegów, czareczki mają ciężkie życie. Podczas przypływów są opryskiwane przez fale, a w czasie odpływów są porywane przez cofającą się wodę. Dlatego właśnie czareczki muszą się kurczowo chwytać skał – nie chcą być porwane przez morze!

Która ryba ma z przodu światła?

Na dnie morza jest tak ciemno, że niektóre ryby wytwarzają własne światło. Maszkara ma na głowie długą i zwisającą płetwę. Na końcu tej płetwy znajduje się świecący narząd, zwany wabikiem. Światło przyciąga małe rybki, które wpadają do paszczy maszkary.

Głęboko w morzu jest bardzo ciemno i zimno jak w lodówce. Mimo to żyje tam wiele niezwykłych stworzeń.

Maszkara

Jak głęboki jest ocean?

W dnie morza jest wiele pęknięć, które nazywamy rowami. Niektóre mają głębokość nawet do 10 kilometrów.

Z dala od brzegu ocean w wielu miejscach ma głębokość 4 kilometrów. Oznacza to, że jest wystarczająco głęboki, żeby trzykrotnie zatopić Ben Nevis, najwyższą górę w Wielkiej Brytanii.

Jak powstają podwodne kominy?

W niektórych miejscach dna morskiego powstają fontanny, z których wydobywa się wrząca woda. Z tej gorącej wody wypływają drobne ziarenka, które osiadają na dnie i tworzą coś na kształt dziwnie wyglądających kominów.

Wiele ryb żyjących w głębinach morskich to wyjątkowe brzydale. Całe szczęście, że tam na dole jest tak ciemno!

Ryba z paszczękowatych

Wokół tych dziwacznych kominów żyją ogromne biało-czerwone rurkoczułkowce, które często są długie jak autobus.

...wana ...ba smok)

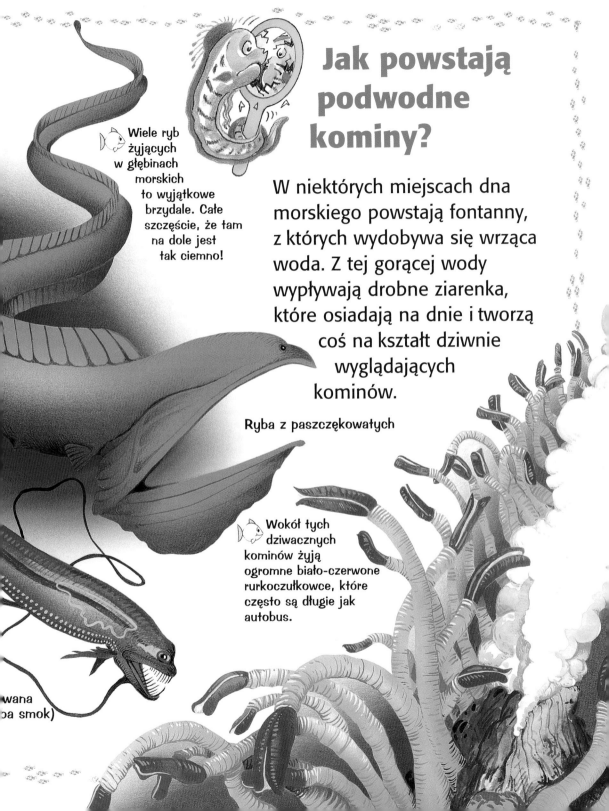

Jak jest na dnie morza?

Można by sądzić, że dno morza jest gładkie i płaskie. Ale wcale takie nie jest – przynajmniej nie wszędzie. Są tam góry i doliny, wzgórza i równiny, takie same jak na lądzie.

W latach 1963-1967 w morzu nieopodal Islandii następowały wybuchy wulkanu. Gorąca płynna lawa, bulgocząc, wydostała się na powierzchnię wody i stwardniała. Powstała nowa wyspa, która nazywa się Surtsey.

Wzdłuż wybrzeża ląd delikatnie pochyla się w kierunku morza. Ten spadek to **szelf kontynentalny**.

Płaskie równiny występują na połowie powierzchni dna morskiego. Nazywamy je **otchłaniami morskimi**.

Grzbiet Śródatlantycki jest długim pasmem podwodnych gór w Oceanie Atlantyckim.

Czy w morzu są góry?

Tak, i to bardzo dużo – i wszystkie są wulkanami! Doliczono się ich aż 10 000, ale możliwe, że jest ich nawet dwukrotnie więcej. Ich właściwa nazwa to gujoty – podwodne wyspy wulkaniczne. Są tak wysokie, że często wystają nad powierzchnię morza i tworzą wyspy.

Pod wodą, tak samo jak na lądzie, zdarzają się trzęsienia ziemi. Rocznie jest ponad milion trzęsień morza! Większość z nich przebiega jednak tak głęboko, że ich nie odczuwamy.

Gujoty to podwodne góry wulkaniczne. Kiedy to czytasz, z pewnością gdzieś na dnie oceanu wybucha właśnie wulkan!

Rów jest głęboką doliną na dnie morza.

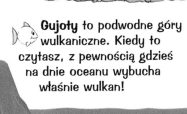

Jak ryby oddychają pod wodą?

Ryby muszą oddychać, żeby móc żyć, dokładnie tak jak ty, z tym że ty wdychasz tlen z powietrza, a ryby wdychają go z wody. W trakcie pływania ryby nabierają wodę w pysk i wypuszczają ją przez otwory we łbie, nazywane skrzelami. Dzięki skrzelom tlen z wody dostaje się do krwi ryby.

Zewnętrzna część skrzela

Dorsz

Makrele

Jak ryby pływają?

Ryby używają mięśni do poruszania swoim ciałem podczas pływania. Machanie ogonem stanowi dodatkowy napęd. Dzięki płetwom utrzymują równowagę i zmieniają kierunki.

Nie wszystkie morskie zwierzęta potrafią oddychać pod wodą. Lwy morskie, foki i delfiny oddychają powietrzem i dlatego muszą regularnie wypływać na powierzchnię.

Które ptaki latają pod wodą?

Pingwiny nie potrafią latać w powietrzu, bo mają za krótkie i za słabe skrzydła. O wiele lepiej czują się w wodzie, gdzie używają swoich skrzydeł jak płetw.

Pingwin

Węgorz

Jakie zwierzę ma napęd odrzutowy?

Koniki morskie są słabymi pływakami. Przytrzymują się wodorostów, żeby nie porwały ich prądy morskie.

Kałamarnice nie mają ani płetw, ani ogonów, mimo to potrafią się bardzo szybko poruszać. Wsysają wodę do swoich ciał, po czym wypluwają ją z taką siłą, że ich ciała są jakby wystrzelane do przodu.

Konik morski

Kałamarnice mają dziesięć macek – o dwie więcej niż ich krewne, ośmiornice.

Jakie zwierzę uwielbia się bawić?

Delfiny lubią się bawić i są bardzo ufne. Niektóre są tak przyjazne, że pozwalają ludziom ze sobą pływać. Zdarzało się, że delfiny ratowały tonących ludzi, popychając ich do brzegu.

Jak wieloryby i delfiny używają dźwięków, żeby widzieć?

Wieloryby i delfiny widzą uszami, a nie oczami. Płynąc, wytwarzają różne dźwięki, które rozchodzą się pod wodą. Kiedy dźwięki te napotkają jakiś obiekt, odbijają się od niego jak echo – tak, jak piłka odbija się od ściany. Echo powiadamia delfiny i wieloryby o tym, co się przed nimi znajduje.

Delfiny mają ponad 200 ostrych zębów, żeby mogły dobrze chwytać śliskie ryby. Wyobraź sobie szorowanie tych zębów co wieczór!

Narwal jest gatunkiem wieloryba z bardzo długim siekaczem. Żeglarze sprzedawali kiedyś te siekacze, mówiąc kupcom, że są to rogi jednorożców.

Które zwierzęta morskie śpiewają jak ptaki?

Białe wieloryby białuchy nazywa się też morskimi kanarkami, bo ćwierkają zupełnie jak te ptaszki. Potrafią też muczeć jak krowy i dzwonić jak dzwony, a nawet cmokać!

Dlaczego fale się wznoszą?

Fale to woda z oceanu wzburzona przez wiatry. W pogodne, ciche dni fal prawie w ogóle nie ma. W czasie sztormów fale wznoszą się coraz wyżej i poruszają się coraz szybciej, aż w końcu powstają ściany wody.

Spróbuj sam wywołać fale w misce wody. Im mocniej będziesz dmuchał w powierzchnię wody, tym większe fale będziesz robił.

Niektóre fale nazywa się białymi końmi, bo ich białe, kręcone wierzchołki przypominają grzywę konia.

W załoce Waimea na Hawajach surferzy pływają na falach, które mają nawet do 10 metrów wysokości – są sześć razy wyższe niż przeciętny człowiek.

Palmy mogą rosnąć nawet w tak chłodnych miejscach jak Szkocja, bo wzdłuż zachodniego wybrzeża Europy płyną prądy z ogrzaną wodą z ciepłych krajów.

Czy w oceanie są rzeki?

W oceanach są ogromne masy wody, płynące jak rzeki. Nazywamy je prądami. Prądy płyną szybciej niż woda, która je otacza, przemieszczając się z jednej strony świata na drugą.

Prądy morskie pomagają przesyłać wiadomości w butelkach. Ale nie spodziewaj się przesyłki ekspresowej. Jeden z takich listów w butelce dryfował przez 73 lata, zanim dotarł do brzegu.

Dlaczego marynarze obserwują przypływy?

Dwa razy dziennie morze przesuwa się – raz głęboko w stronę plaży, a potem z powrotem. W trakcie przypływu woda jest głęboka i statki mogą wpływać do portu i wypływać z niego. Za to podczas odpływu woda jest tak płytka, że statki są uwięzione albo w porcie, albo dalej na morzu!

Zatoka Fundy w Kanadzie jest o około 15 metrów głębsza w czasie przypływu niż w trakcie odpływu – to jest tyle samo, co wysokość pięciopiętrowego budynku.

Gdzie żyją papugoryby i błazenki?

Błazenek i papugoryba to tylko niektóre z tysięcy pięknych stworzeń żyjących na rafie koralowej. Ryby tropikalne mają często oszałamiające kolory i krzykliwe wzory.

Rafy koralowe występują w płytkich wodach w najcieplejszych częściach świata.

Na rafach żyją też ogromne małże. Ich muszle są wystarczająco duże, żeby się w nich kąpać!

Idolek mauretań (murzyńs

Ustniczek cesarski

Papugoryba

Chetonik

Rogatnica jasnoplama (okazała)

Co to jest rafa koralowa?

Koralowce mają przeróżne kształty – anten, płatków, grzybów, piór, stokrotek, a nawet mózgów!

Rafa koralowa jest jak piękny podwodny żywopłot. Wygląda na skamieniałą i martwą, ale tak naprawdę tętni życiem! Rafa składa się z milionów drobnych zwierząt. Po śmierci ich szkielety zostają na niej. Każdego roku na starej warstwie powstaje nowa i w ten sposób rafa się powiększa.

Gdzie jest największa rafa?

Największa rafa koralowa znajduje się w ciepłych i płytkich morzach u północnego wybrzeża Australii. To Wielka Rafa Koralowa, która ma długość około 2000 kilometrów. Jest tak ogromna, że widzą ją astronauci przebywający w kosmosie.

Garbik modry

Błazenek okoniowy

Która ryba jest największa?

Babka karłowata jest najmniejszą rybką w oceanie.

Rekin wielorybi jest największą i najdłuższą (około 15–17 m) rybą na świecie. Jest olbrzymi – mniej więcej tak długi, jak ośmiu nurków stykających się stopami i głowami, i waży tyle, ile sześć dużych słoni.

Wstęgor królewski zwany królem śledziowym

Drugą co do długości rybą w oceanie jest wstęgor – jest tak długi, jak cztery stykające się końcami kajaki.

Największą morską rośliną jest brunatnica. Jej pojedyncza łodyga potrafi być tak długa, jak boisko do piłki nożnej!

Żaglica

Która ryba jest najszybsza?

Żaglica potrafi pływać z prędkością ponad 100 kilometrów na godzinę – czyli tak szybko, jak rozpędzony samochód. Podczas pływania trzyma płetwy jak najbliżej ciała, a jej ostry dziób przecina wodę jak nóż.

Rekin wielorybi

Jaki krab jest największy?

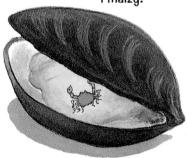

Najmniejszym ze wszystkich krabów jest krab groszkowy, który ma wielkość ziarnka grochu. Żyje on w muszlach ostryg i małży.

Japoński krab pająkowaty osiąga 4 metry szerokości, mierząc od koniuszka nożyc z jednej strony do koniuszka nożyc z drugiej strony. Mógłby swoimi ramionami objąć hipopotama!

Która ryba poluje, używając młota?

Rekin młot ma ogromną głowę w kształcie młota. Ale to narzędzie służy do polowania, a nie do przybijania gwoździ. Oczy i nozdrza rekina znajdują się na dwóch końcach młota. Kiedy rekin pływa, jego głowa rusza się na lewo i prawo w poszukiwaniu posiłku.

Rekin młot

Która ryba jest najbardziej szokująca?

Niektóre ryby porażają swoich przeciwników albo swoje ofiary prądem, który same wytwarzają. Najbardziej szokującą rybą jest drętwa. Jeżeli wkręciłoby się w nią żarówkę, świeciłaby jak lampa!

Żeglarz portugalski

Drętwa

Żeglarz portugalski łapie swoje ofiary długimi, parzącymi mackami.

Tysiące makreli pływa w wielkich ławicach. Przez to ich przeciwnicy mają wielki kłopot ze złapaniem jednej ryby spośród całej migoczącej masy.

Które ryby wyglądają jak kamienie?

Pławikonik australijski wygląda jak poszarpana łodyga wodorostu. Co za doskonałe przebranie!

Szkaradnica wygląda jak kawałek skały – ale jest bardzo niebezpieczna. Jeśli ją ktoś zaatakuje, wbija w niego ostre kolce, które znajdują się na jej grzbiecie. Zawierają one zabójczą substancję.

Pławikonik australijski

Szkaradnica

Jak głęboko zanurzają się łodzie podwodne?

Łódź podwodna może zejść na głębokość 200 metrów. Jest to mniej więcej głębokość 100 basenów olimpijskich.

Co zanurza się najgłębiej?

Nurkowie do najgłębszych zanurzeń i oglądania zatopionych wraków i szukania skarbów używają mniejszych pojazdów zwanych batyskafami. *Titanic* był olbrzymim statkiem pasażerskim, który zatonął ponad 90 lat temu. Nurkowie odnaleźli go w 1985 roku na głębokości 3781 metrów. Dostali się do niego batyskafem, który nazywał się *Alvin*.

Titanic wyruszył w swój pierwszy rejs w 1912 roku. W trakcie tej podróży zderzył się z górą lodową i zatonął na Atlantyku.

Jaki był rekord w zanurzaniu się?

W roku 1960 dwoje ludzi zeszło pod wodę na głębokość prawie 11 kilometrów do Rowu Mariańskiego w Pacyfiku. Znajdowali się w jednym z pierwszych batyskafów, w bardzo odpornym pojeździe, który nazywał się *Trieste*. Zanurzanie się na taką głębokość trwało około 5 godzin.

Nurkowie schodzą na duże głębokości w specjalnych zbrojach, które nazywamy pająkami. Są one jakby jednoosobowymi łodziami podwodnymi!

W najgłębszych miejscach w oceanie napór wody byłby tak duży, że można odnieść wrażenie, że siedzi na nas dziesięć słoni!

Kto łowi ogniem?

Ludzie z pewnej wyspy na Pacyfiku łowią w nocy. Podpalają gałęzie palm kokosowych i trzymają je nad wodą. Światło ognia przyciąga ryby, które są natychmiast łowione strzałami z łuków.

Wodorosty są bogate w minerały, więc rolnicy rozsypują je na swoich polach, żeby użyźnić glebę. Używa się ich też jako dodatków do żywności, np. do produkcji lodów i pasty do zębów.

Czy pod wodą są gospodarstwa rolne?

Tak, ale nie ma rolników, krów ani owiec! Niektóre gatunki ryb i skorupiaków są hodowane w dużych klatkach zatopionych w morzu. Ryby te są tak dobrze karmione, że rosną o wiele szybciej niż normalnie.

Na całym świecie istnieją rozmaite legendy o tym, jak powstał świat. Niektóre mówią, że świat powstał w olbrzymiej muszli. Ta muszla musiała być naprawdę ogromna!

Czy w morzu są skarby?

Największa perła, jaką kiedykolwiek znaleziono, była wielkości twojej głowy. Wyobraź sobie, jak ciężko nosiłoby się ją na szyi!

W ciepłych wodach tropikalnych w muszlach ostryg i małży czasami powstają perły. Ponieważ są one rzadko spotykane, są bardzo drogie. Ludzie ryzykują życie, nurkując w poszukiwaniu pereł.

Najwyższe wzniesienia na Ziemi nazywamy górami.
Niektóre z nich są tak wysokie, że na ich szczytach
nawet latem leży śnieg. W górach mogą się ukrywać
głębokie jaskinie o różnych kształtach. Góry zawsze
fascynowały ludzi dzięki pięknym widokom, surowemu
klimatowi i niespotykanym nigdzie indziej zwierzętom,
roślinom i minerałom. Wiele osób pasjonuje się
wspinaczkami górskimi. Trud wspinania rekompensuje
im satysfakcja ze zdobycia trudno dostępnego szczytu.
Nie ruszając się z wygodnego fotela, i my możemy
przyjrzeć się górom z bliska...

GÓRY I JASKINIE

Czym różni się góra od wzgórza?

Góry są większe niż wzgórza, a zbocza gór są często strome i niedostępne – w odróżnieniu od łagodnych zboczy wzgórz. Niektórzy eksperci uważają, że jeśli dane wzniesienie jest o ponad 600 metrów wyższe od otaczającego je terenu, to jest to góra. Jeśli wartość ta jest mniejsza, mamy do czynienia ze wzgórzem.

Kretowisko to nieduży kopczyk ziemi, który niczym góra wznosi się nad otaczającym go terenem.

Około jednej czwartej powierzchni lądu na Ziemi to obszary górzyste.

Pasmo gór nazywamy łańcuchem górskim.

Czy statek kosmiczny może mierzyć góry?

Sprzęt radarowy mierzy wysokość gór za pomocą sygnałów, które odbijają się od ziemi. Urządzenia mierzą czas, w jakim sygnał radaru przebył drogę od nadajnika do ziemi i z powrotem i obliczają wysokość góry. Radar może być umieszczony na pokładzie samolotów lub satelitów okołoziemskich.

Szczyt góry jest nazywany także wierzchołkiem.

Nawet jeśli góra znajduje się z dala od morza, jej wysokość określa się jako odległość jej wierzchołka od poziomu powierzchni morza.

Gdzie jest najwyższa góra świata?

Najwyższym miejscem na Ziemi jest szczyt Mount Everestu. Ta ogromna góra leży w łańcuchu górskim Himalajów w Azji Środkowej i wznosi się na wysokość 8848 metrów nad poziomem morza.

Najdłuższy łańcuch górski na lądzie to Andy w Ameryce Południowej – mają około 7200 kilometrów długości.

Choć od powierzchni morza Mauna Kea wznosi się tylko na 4205 metrów, ten hawajski wulkan jest wyższy nawet od Mount Everestu. Od podstawy na dnie oceanu do samego wierzchołka Mauna Kea ma aż 10 203 metry wysokości.

AMERYKA PÓŁNOCNA

AMERYKA POŁUDNIOWA

OCEAN ATLANTYCKI

Góry Alaska

Góry Skaliste

Sierra Nevada

Appalachy

Kordyliera Wulkaniczna

Andy

Słynne góry (wysokość nad poziomem morza)

1. McKinley 6194 m

2. Logan 6050 m

3. Whitney 4418 m

4. Popocatépetl 5465 m

5. Cotopaxi 5897 m

6. Aconcagua 6959 m

7. Kilimandża 5895 m

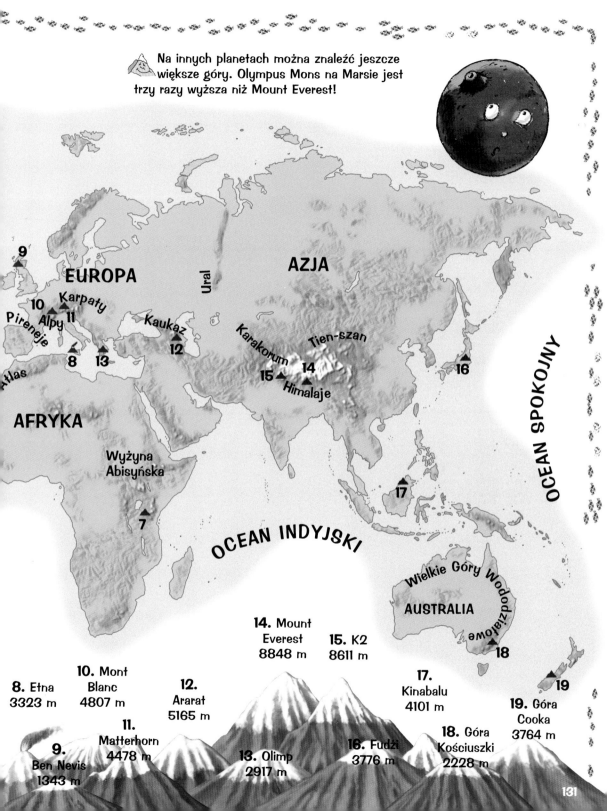

Na innych planetach można znaleźć jeszcze większe góry. Olympus Mons na Marsie jest trzy razy wyższa niż Mount Everest!

EUROPA

AZJA

Ural

Karpaty

Pireneje

Alpy

Kaukaz

Karakorum

Tien-szan

Atlas

AFRYKA

Wyżyna Abisyńska

OCEAN INDYJSKI

OCEAN SPOKOJNY

Himalaje

Wielkie Góry Wododziałowe

AUSTRALIA

14. Mount Everest 8848 m

15. K2 8611 m

10. Mont Blanc 4807 m

8. Etna 3323 m

12. Ararat 5165 m

17. Kinabalu 4101 m

11. Matterhorn 4478 m

9. Ben Nevis 1343 m

13. Olimp 2917 m

16. Fudżi 3776 m

18. Góra Kościuszki 2228 m

19. Góra Cooka 3764 m

Czy góry się poruszają?

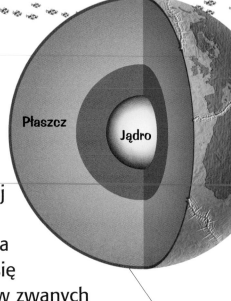

Płaszcz

Jądro

Skorupa

Oczywiście, że tak! Ziemia przypomina gigantyczne jajko zbudowane z cienkiej skorupy, grubej warstwy zwanej płaszczem Ziemi i z jądra. Skorupa Ziemi jest popękana niczym skorupka jajka i składa się z około 30 olbrzymich kawałków zwanych płytami. Płyty unoszą się na powierzchni płaszcza, która jest na wpół płynna, niczym gęsty syrop.

Płyty, na których leżą Europa i Ameryka Północna, odsuwają się od siebie w tempie 4 cm rocznie.

Jak powstają góry?

Choć płyty tworzące skorupę ziemską poruszają się bardzo powoli, ruchy te są tak silne, że tworzą góry. Różne ruchy dają początek trzem głównym rodzajom gór – wulkanicznym, zrębowym i fałdowym.

Wulkany to otwory w skorupie ziemskiej, przez które wydobywają się ogniste chmury rozpalonego popiołu, gazy i rozgrzana do czerwoności, płynna skała zwana lawą. Większość gór wulkanicznych powstaje wtedy, kiedy kolejne warstwy lawy i popiołu zastygają, zamieniając się w twardą skałę.

Dlaczego niektóre góry mają spiczaste wierzchołki?

Nawet wtedy, kiedy góra jeszcze się formuje, wiatr, lód i woda zaczynają ją powoli niszczyć, unosząc drobiny skały i rzeźbiąc wierzchołek w ostry czubek. Ten proces jest nazywany erozją.

Wiatr niesie ze sobą żwir i piasek, które działają jak papier ścierny, powoli zdzierając powierzchnię skały.

Góry zrębowe powstają wtedy, kiedy część skorupy zostaje ściśnięta pomiędzy dwoma pęknięciami, zwanymi uskokami.

Góry fałdowe powstają wówczas, gdy dwie płyty powoli napierają na siebie, wypychając skorupę ziemską w górę i wyginając ją w wielkie fałdy i guzy.

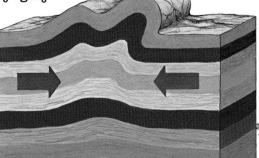

Dlaczego wierzchołki wulkanów wybuchają?

Wulkan rodzi się głęboko we wnętrzu Ziemi jako pęcherze gazu i płynnej skały zwanej magmą.

Ta mieszanka powoli wędruje w górę, bo jest lżejsza od otaczającej ją litej skały. Gdy przesuwa się w górę, zawarte w niej gazy szukają ujścia. Ciśnienie mieszanki rośnie, aż w końcu eksploduje ona przez słaby punkt w skorupie ziemskiej – to nazywamy erupcją wulkanu, którego czubek wylatuje w powietrze.

Wybuch gazu i magmy z wnętrza wulkanu przypomina nieco to, co dzieje się, gdy potrząśniesz butelką z napojem gazowanym, a potem ją otworzysz.

Magma, która wypływa na powierzchnię, jest nazywana lawą.

Czy wszystkie wulkany są niebezpieczne?

Starożytni Rzymianie wierzyli, że pod wulkaniczną wyspą u wybrzeży Italii żyje bóg ognia. Nazywali tego boga Wulkanem – stąd wzięła się nazwa „wybuchowego" wzniesienia.

Istnieją trzy rodzaje wulkanów i wszystkie mogą być niebezpieczne. Wulkany aktywne wybuchają bardzo często. Wulkany uśpione są zazwyczaj niegroźne, ale i one wybuchają od czasu do czasu. Wulkany wygasłe nie wybuchają już od dawna i prawdopodobnie nie wybuchną już nigdy, chyba że będziemy mieli pecha!

Czasami magma i gazy eksplodują przez boczne otwory zwane kominami.

Który wulkan był najgłośniejszy?

Gdy w 1883 roku wybuchł wulkan Krakatau w Indonezji, huk eksplozji był słyszalny w odległości równej jednej ósmej obwodu Ziemi – nawet w Sri Lance, na Filipinach i w środkowej Australii.

135

Które góry zamieniają się w wulkany?

Na oceanach świata można znaleźć tysiące maleńkich wysp, które są pozostałościami wulkanów wyrastających powoli z dna oceanu.

Najgłębsza dolina na świecie to Rów Mariański, którego dno znajduje się 10 911 m pod powierzchnią Oceanu Spokojnego.

Najdłuższy łańcuch górski na świecie niemal w całości jest ukryty pod wodą. Łańcuch ten jest nazywany Grzbietem Śródatlantyckim i ciągnie się na długości około 20 000 kilometrów, od Islandii niemal do Antarktyki.

Grzbiet Śródatlantycki

AMERYKA PÓŁNOCNA

EUROPA

AFRYKA

AMERYKA POŁUDNIOWA

OCEAN ATLANTYCKI

Czy góry mogą tonąć?

Tak – atol to wyspa w kształcie pierścienia, która może powstać wokół krawędzi zatopionego wulkanu. Atol jest zbudowany z wapienia, który tworzą maleńkie stworzenia morskie zwane polipami koralowymi.

Woda w środku atolu koralowego jest nazywana laguną.

Laguna

Atol koralowy

Czym są podwodne kominy?

Podwodne kominy hydrotermalne to dziwne wulkany, które powstają na dnie morza i wyrzucają z siebie chmury czarnej gotującej się wody. W ich pobliżu żyją przedziwne i cudowne zwierzęta, między innymi biało-czerwone robaki – rurkoczułkowce.

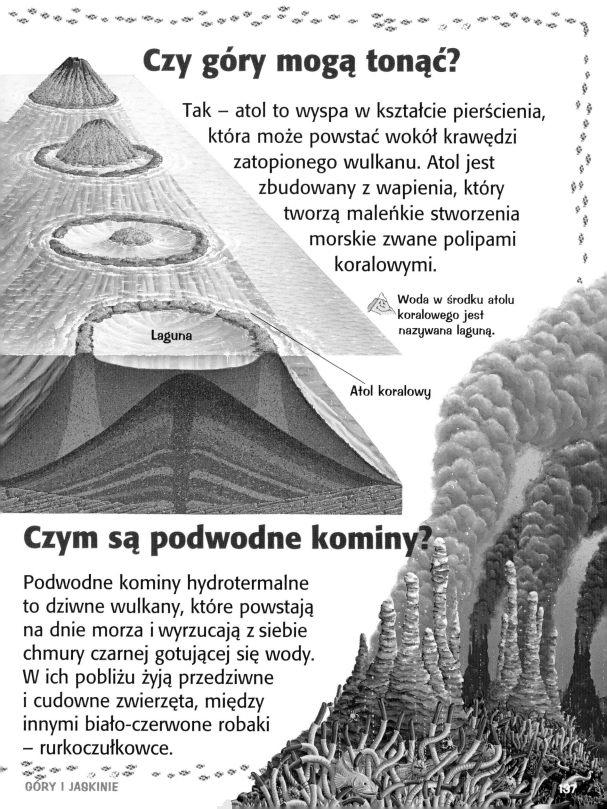

Dlaczego na szczytach gór leży śnieg?

Śnieg nie leży na szczytach wszystkich gór, lecz tylko tych najwyższych. Dzieje się tak dlatego, że gdy robi się naprawdę zimno, woda zamarza i zamienia się w śnieg lub lód – a im wyżej, tym zimniej. Miejsce, od którego na górze pojawia się śnieg, nazywamy granicą wiecznego śniegu.

Im wyżej wchodzisz na górę, tym mocniej wieje wiatr. Na szczytach Himalajów wiatr może wiać z prędkością nawet 300 km/h.

Każde 300 metrów wysokości, jakie pokonujesz, wspinając się na górę, oznacza spadek temperatury o 2 stopnie.

Kiedy śnieg porusza się tak szybko jak samochód wyścigowy?

Czasami w wysokich górach masy śniegu odrywają się od podłoża i zaczynają zsuwać się w dół zbocza. Jest to lawina. Najgroźniejsze lawiny mogą pędzić w dół z prędkością ponad 200 km/h.

Czy śnieg może zmieniać góry?

Śnieg i lód mogą powodować pękanie skał i ich powolny rozpad. Największe szkody wyrządzają lodowce. Te wielkie bloki lodu, śniegu i skały tworzą się wysoko w górach i zsuwają w dół niczym zamarznięte rzeki, żłobiąc po drodze doliny.

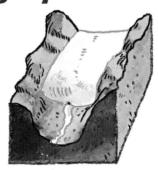

Lodowce żłobią doliny w kształcie litery U. Doliny w kształcie litery V są żłobione przez rzeki.

Lodowiec

Dlaczego na szczytach gór nie rosną rośliny?

Szczyt wysokiej góry to jedno z najzimniejszych, najbardziej wietrznych miejsc na Ziemi, a rośliny nie cierpią takich warunków. Rośliny potrzebują wody, słońca i gleby, w której mogą zapuścić korzenie. Jeśli tego zabraknie – umierają.

Rzeki i topniejący śnieg zmywają glebę ze szczytów, więc im wyżej się wspinasz, tym cieńszą warstwę gleby masz pod nogami.

Jakie rośliny rosną na zboczach gór?

Duże drzewa nie mogłyby przetrwać w pobliżu granicy wiecznego śniegu, ich miejsce zajmują więc rośliny alpejskie, które rosną nisko przy ziemi i potrafią poradzić sobie ze złą pogodą i z małą ilością gleby.

Jedno z najstarszych drzew na świecie rośnie w Górach Białych w Kalifornii, w USA. Ta sosna sędziwa ma już prawie 5000 lat!

Jak rośliny górskie zatrzymują ciepło?

Niektóre rośliny alpejskie, takie jak szarotka alpejska, mają włochate liście, które działają niczym zwierzęce futro i zapewniają im ciepło. Inne, takie jak goryczka, mają bardzo ciemne liście i kwiaty, bo ciemne kolory przyciągają więcej promieni słonecznych niż kolory jasne.

Rośliny nie mogą wchłaniać zamarzniętej wody, takiej jak śnieg czy lód.

Najbardziej wytrzymałe drzewa to drzewa iglaste, takie jak sosna, lecz nawet one nie mogą rosnąć wysoko w górach.

Która roślina może topić śnieg?

Podobnie jak wiele innych roślin, urdzik alpejski w zimie znika pod ziemią. Kiedy na wiosnę z ziemi wyrastają nowe kiełki, wytwarzają dość ciepła, by roztopić otaczający je śnieg i przebić się na powierzchnię.

Czy w górach mogą żyć zwierzęta?

Życie wysoko na zboczach gór jest dla zwierząt równie trudne, jak dla roślin, większość z nich trzyma się więc dolin. Te, które żyją wyżej, muszą być dobrymi wspinaczami – jak kozice lub antylopy.

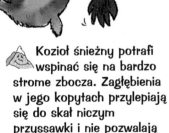

Kozioł śnieżny potrafi wspinać się na bardzo strome zbocza. Zagłębienia w jego kopytach przylepiają się do skał niczym przyssawki i nie pozwalają mu się ześlizgnąć.

Które górskie zwierzę ma spódnicę?

Długa jedwabista sierść jaka zwisa wokół jego nóg niczym spódnica, zatrzymując ciepło. Jaki żyją w najwyżej położonym regionie świata – w Tybecie, w Azji.

Jak wysoko ptaki zakładają gniazda?

Choć wiele ptaków odwiedza wyższe partie gór, tylko nieliczne zakładają gniazda wysoko w górach. Rekordzistą jest wrończyk, który zakłada gniazda nawet na wysokości 7000 m.

Kondor andyjski całymi dniami unosi się nad szczytami Andów w Ameryce Południowej. Jego skrzydła są tak szerokie, że mógłby na nich zaparkować samochód!

Które zwierzę jest znanym górskim ratownikiem?

Psy świętego Bernarda, zwane też bernardynami, to duże, mądre psy, znane z tego, że ratują podróżników, którzy zgubili się na zaśnieżonych górskich trasach. Bernardyny były tresowane już w siedemnastym wieku przez mnichów mieszkających w Alpach.

Niektórzy ludzie wierzą, że w Himalajach żyją duże, włochate, człekopodobne stworzenia zwane yeti. Jak dotąd jednak nikt nie dowiódł, że yeti naprawdę istnieje.

Dlaczego domy w górach mają spadziste dachy?

Dzięki spadzistym dachom na górskich domach nie zbiera się zbyt dużo śniegu – jego nadmiar ześlizguje się z dachu jak narciarz ze zbocza. Część dachu wystająca poza budynek jest bardzo szeroka, by utrzymać spadający śnieg z dala od ścian.

Dlaczego rolnicy budują stopnie na zboczach gór?

W wielu częściach świata rolnicy budują na zboczach gór niskie murki, by zatrzymać wodę wypłukującą glebę. W ten sposób powstają pola przypominające ogromne schody, zwane tarasami rolnymi, gdzie warstwa gleby jest dość gruba, by można na niej uprawiać rośliny.

Jezioro Titicaca leży na wysokości, na której rośnie już bardzo mało drzew, dlatego wszystko, od domów po łodzie, jest tam zrobione z trzciny.

Kto łowi ryby w najwyżej położonym jeziorze na Ziemi?

Jeśli nie chcesz budować domu na górze, możesz zamieszkać w jaskini. Już od zamierzchłych czasów mieszkańcy krainy zwanej Kapadocją, w Turcji, drążyli mieszkania w dziwnych kominach z wulkanicznej skały.

Jezioro Titicaca w Peru i Boliwii jest najwyżej położonym żeglownym jeziorem na Ziemi – znajduje się na wysokości 3812 metrów nad poziomem morza. Tamtejsza ludność mieszka na wyspach rozsianych po jeziorze i łowi ryby z łódek plecionych z trzciny.

Niektóre górskie rzeki są blokowane i zamieniane w jeziora przez ogromną, wysoką ścianę zwaną tamą. Woda z jeziora jest wykorzystywana do napędzania maszyn wytwarzających prąd elektryczny.

Kto budował pałace w górach?

W piętnastym wieku wielkimi obszarami Andów w Ameryce Południowej rządzili Inkowie. Budowali oni wspaniałe miasta z kamienia i pałace na zboczach i szczytach gór. Tak między innymi powstało słynne miasto Machu Picchu.

Inkowie zostali podbici przez hiszpańskich najeźdźców w szesnastym wieku. Gdy amerykański podróżnik Hiram Bingham natknął się na Machu Picchu w 1911 roku, miasto było opuszczone już od ponad 400 lat.

Jacy mnisi mieszkają w górach?

Na górze Atos w Grecji znajduje się 20 klasztorów, w których mieszka mnóstwo mnichów. Nie jest to jednak pojedynczy szczyt, lecz górzysty skrawek lądu, który wyrasta z równiny jak gigantyczny palec.

Które miasto leży na szczycie świata?

Tybet sąsiaduje z Himalajami i jest położony tak wysoko, że ludzie nazywają go „dachem świata". Nic więc dziwnego, że właśnie tybetańskie miasto Lhasa jest najwyżej położonym miastem na Ziemi (około 3600 metrów nad poziomem morza).

Nawet dna dolin w Tybecie są położone wyżej niż wierzchołki gór większości państw.

Kobiety nie mogą wejść na górę Atos – nie mają tam wstępu nawet samice zwierząt!

Kim byli ludzie gór?

Amerykańscy podróżnicy, tacy jak Kit Carson, w dziewiętnastym wieku nazywani byli ludźmi gór, bo wędrowali przez najdziksze partie Gór Skalistych, polując na bobry i inne zwierzęta, których futro mogli potem korzystnie sprzedać.

Kiedy człowiek po raz pierwszy wspiął się na górę?

Choć ludzie musieli wspinać się na góry już od tysięcy lat, znamy tylko tych wspinaczy, których dokonania zostały zapisane. Jedna z pierwszych wspinaczek, które zostały uwiecznione na piśmie, miała miejsce w 633 r. n.e., kiedy to japoński mnich En-no gyoja dotarł na szczyt góry Fudżi.

Jednym z pierwszych wspinaczy opisanych w historii był pewien rzymski żołnierz. W 106 roku p.n.e. wspiął się na strome urwisko w poszukiwaniu jadalnych ślimaków skalnych i odkrył ścieżkę, którą pozostała część armii wykorzystała potem do zaskakującego ataku na wroga.

Kto jako pierwszy wspiął się na Mount Everest?

Pierwszymi ludźmi, którzy wspięli się na najwyższą górę świata, byli Edmund Hillary z Nowej Zelandii i Tenzing Norgay z Nepalu. Stanęli na szczycie Mount Everestu 29 maja 1953 roku.

Jak ludzie wspinają się na góry?

Wspinacze używają specjalnego sprzętu, który pozwala im posuwać się w górę stromych skalnych ścian czy śliskich powierzchni, i który chroni ich przed upadkiem. Wspinacze zabezpieczają się linami – jeden koniec liny obwiązują wokół ciała, a drugi przeciągają przez metalowe zaczepy, zwane karabińczykami, które wbijają w skałę, w miarę jak pną się do góry.

By utrzymać się na śliskiej lodowej powierzchni, wspinacze przymocowują do butów metalowe kolce, zwane rakami.

Pierwszą kobietą, która wspięła się na szczyt Mount Everestu, była Junko Tabei z Japonii. Stało się to 16 maja 1975 roku.

Jak ludzie surfują po śniegu?

Jadą w góry ze snowboardem! Snowboard to skrzyżowanie nart, deski surfingowej i deskorolki bez kółek. Pierwsze snowboardy, nazywane „snurfersami", pojawiły się w latach sześćdziesiątych minionego wieku.

Ludzie jeździli na nartach już od tysięcy lat – w Norwegii ktoś wyrył na skale rysunek narciarza ponad 10 000 lat temu.

Zapaleni snowboardziści nie przestają jeździć, kiedy nadchodzi wiosna i topnieje śnieg. Zamieniają wtedy deskę snowboardową na nowy wynalazek – mountainboard.

Bobsleje to „samochody wyścigowe" igrzysk zimowych. Załogi składające się z dwóch lub czterech saneczkarzy w kaskach wskakują do bobslejów i pędzą w dół lodowego toru z prędkością dochodzącą do 150 km/h.

Kto pędzi w dół górskiego zbocza szybciej niż pociąg ekspresowy?

Pociągi ekspresowe mogą jechać z prędkością ponad 200 km/h i takie też prędkości osiągają snowboardziści i narciarze. Najszybciej jeżdżą narciarze specjalizujący się w biciu rekordów prędkości – ich rekord świata wynosi 251,4 km/h.

Jakim rowerem można wjeżdżać na góry?

Rower górski ma mnóstwo przerzutek, dzięki którym można łatwiej wjechać na strome zbocze, oraz grube opony, które lepiej trzymają się śliskiego podłoża. A jeśli zrobi się już naprawdę ciężko, zawsze można zsiąść i wziąć rower na plecy!

Gdzie jest najdłuższy tunel górski na Ziemi?

To w Norwegii znajduje się najdłuższy na świecie górski tunel drogowy. Ukończony w 2000 r. tunel Lærdal ma ponad 24 kilometry długości.

Ponad 2000 lat temu kartagiński wódz Hannibal przeprowadził przez Alpy całą armię, wraz z 40 afrykańskimi słoniami, by zaatakować Rzym.

Gdzie jest najwyżej położona linia kolejowa na Ziemi?

Pasażerowie pociągów kursujących między Limą i Huancayo w Peru muszą być odporni na duże wysokości. Ta linia kolejowa przecina Andy, a pociąg wjeżdża na wysokość ponad 4800 metrów nad poziomem morza.

By kolejki wysokogórskie nie ślizgały się na stromych podjazdach, mają trzy koła na osi, a nie dwa, jak zwykłe pociągi. Trzecie koło, umieszczone pośrodku, to koło zębate, które zaczepia się o ząbkowaną szynę.

Gdzie jest najbardziej stroma linia kolejowa?

Kiedy będziesz w Ameryce Południowej, wybierz się na przejażdżkę najdłuższą kolejką linową na świecie. Ma ona około 12 km długości, prowadzi w Andy i zaczyna się w wenezuelskim mieście Merida.

Widoki, jakie oglądają pasażerowie linii kolejowej Katoomba w australijskich Górach Błękitnych, są fantastyczne, ale sama podróż może im napędzić strachu. Jest to najbardziej stroma linia kolejowa na świecie – pociąg w ciągu niecałych dwóch minut pokonuje wysokość 415 metrów.

Gdzie jest „zadziwiający kamyk"?

Największy głaz na świecie to święte miejsce Aborygenów, którzy nazywają tę skałę Uluru. Pierwszy raz opisano ją jako „zadziwiający kamyk". Uluru wznosi się na wysokość niemal 348 metrów nad otaczającą je pustynię i ma niemal 9 kilometrów długości u podstawy.

O wschodzie i zachodzie słońca Uluru przybiera niezwykłą, jasnoczerwoną barwę. Gdy niebo jest zachmurzone, wygląda jak grzbiet gigantycznego śpiącego słonia.

Dlaczego ludzie wspinają się na górę Fudżi?

Fudżi, mierząca 3776 metrów, jest najwyższą górą w Japonii i jedną z najsłynniejszych gór na świecie. Dla Japończyków jest także miejscem świętym – co roku ponad pół miliona ludzi wspina się na jej szczyt, by odmówić tam modlitwy.

Starożytni Grecy wierzyli, że Zeus, król ich bogów, mieszka w lśniącym pałacu na szczycie góry Olimp. Olimp ma 2917 metrów wysokości i jest najwyższą górą w Grecji.

Która góra wygląda jak blat stołu?

Góra Stołowa w Republice Południowej Afryki została tak nazwana dlatego, że jej szczyt jest płaski jak blat stołu. Często przesłaniają go chmury, które ludzie nazywają Obrusem.

Najwyższa góra Afryki to Kilimandżaro, liczące 5895 metrów wysokości. Kilimandżaro jest tak wysokie, że jego szczyt zawsze jest pokryty lodem i śniegiem – choć znajduje się w pobliżu równika, czyli w bardzo gorącej okolicy.

Co to jest jaskinia?

Jaskinia to naturalne zagłębienie lub szczelina w ziemi, wystarczająco duża, by do jej wnętrza mogło wejść duże zwierzę albo człowiek. Czasami jaskinia to pojedyncze pomieszczenie nazywane salą. Często kilka sal jest połączonych korytarzami – mówimy wtedy o systemie jaskiniowym.

Gdzie jest największa sala?

Rekordzistą w tej kategorii jest sala Sarawak w Parku Narodowym Gunung Mulu, w malezyjskim regionie Sarawak na wyspie Borneo. Sala ta ma 700 metrów długości, 315 metrów szerokości i 80 metrów wysokości.

Jaskinia Woronia (albo Krubera) w Gruzji, na wschód od Morza Czarnego, jest najgłębszą jaskinią, jaką do tej pory zbadano. Ma 1710 metrów głębokości.

Gdzie jest najdłuższy system jaskiniowy?

W amerykańskim stanie Kentucky znajduje się najdłuższy na świecie system jaskiniowy. Jest on nazywany Jaskinią Mamucią. Do tej pory zbadano 570 kilometrów jaskiń i łączących je przejść, przypuszcza się jednak, że na odkrycie czekają kolejne setki kilometrów!

W sali Sarawak zmieściłoby się 40 jumbo jetów.

Jak powstają jaskinie?

Większość jaskiń powstaje w twardej skale zwanej wapieniem. Krople deszczu opadające na ziemię gromadzą po drodze maleńkie ilości gazu, nazywanego dwutlenkiem węgla. Gaz ten miesza się z wodą, tworząc słaby kwas podobny do substancji zawartej w napojach gazowanych. Woda z kwasem wpływa w maleńkie szczeliny w skale i powoli ją „wyjada", by w końcu wydrążyć podziemne sale i korytarze.

Około 13 procent całej wody deszczowej, która spada z chmur, trafia pod ziemię.

Systemy jaskiniowe mogą zawierać strumienie, rzeki, a nawet jeziora i wodospady.

Wylot jaskini

Poziom wody

Kiedy przez jaskinię przepływa strumień lub rzeka, piasek i żwir niesione przez wodę trą o dno niczym papier ścierny, zabierając ze sobą drobiny skały i pogłębiając jaskinię.

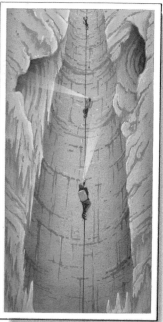

Pionowe korytarze jaskiniowe są nazywane **kominami**.

Kiedy zawali się sufit jaskini, na powierzchni ziemi może powstać otwór zwany **lejem krasowym**.

Duże poziome korytarze są nazywane **galeriami**.

Lej krasowy

Rzeka

Galeria

Komin

Wodospad

Jezioro

Jednym z najwyższych podziemnych wodospadów jest Ruby Falls w stanie Tennessee, w USA. Ma aż 44 metry wysokości.

Czym są stalaktyty i stalagmity?

Stalaktyty i stalagmity to niezwykłe formacje skalne, które czasami powstają we wnętrzu wapiennych jaskiń. Zarówno jedne, jak i drugie przypominają kształtem marchewkę, ale stalaktyty zwisają z sufitu jaskini, a stalagmity wyrastają z podłoża.

Stalagmit

Dlaczego stalaktyty rosną w dół?

Kiedy kwasowa woda spływa w dół, rozpuszcza minerał zwany kalcytem, który jest głównym składnikiem wapienia. Gdy ta ciecz kapie lub spływa powoli ze stropu jaskini, część wody wyparowuje i zamienia się w gaz, zostawiając po sobie tylko stałe, twarde minerały. Z czasem gromadzi się coraz więcej takich minerałów i w ten właśnie sposób powstaje stalaktyt.

Stalaktyt

Stalaktyty i stalagmity mogą się czasami połączyć, tworząc kolumnę. Jedna z najwyższych na świecie kolumn powstałych w ten sposób znajduje się w hiszpańskiej jaskini Nerja. Ma 32 metry wysokości.

Stalaktyty nigdy nie osiągają takich rozmiarów jak stalagmity. Gdy stalaktyt jest już bardzo duży, robi się zbyt ciężki i odrywa się od stropu jaskini.

Czy w jaskini mogą być jajka sadzone?

Oczywiście, że tak. Minerały mogą w jaskiniach tworzyć formacje niemal we wszystkich kształtach i kolorach. W jaskiniach Luray w amerykańskim stanie Wirginia znajdują się dwie formacje skalne, które wyglądają dokładnie tak, jak jajka sadzone!

Kolumna

Polewa naciekowa

Polewa naciekowa wygląda jak kamienny wodospad.

Perły jaskiniowe mogą osiągać rozmiary piłeczek pingpongowych.

Perły jaskiniowe

Stalaktyty rurkowe są puste w środku i wyglądają jak słomki, przez które pijesz różne napoje. To zaczątki prawdziwych, dużych stalaktytów.

Jak powstają jaskinie we wnętrzu lodowców?

Lodowiec to ogromna, gruba masa lodu, która powstaje w mroźnych miejscach, takich jak bieguny. Jednak nawet w najzimniejszych obszarach Ziemi latem nieco się ociepla. Podczas tych cieplejszych dni część lodu we wnętrzu lodowca zaczyna się topić i wypływać na zewnątrz przez szczeliny. Po drodze ciepła woda roztapia kolejne warstwy lodu, wyżłabiając w ten sposób jaskinię lodowcową.

Jeśli jaskinia lodowcowa nie jest położona zbyt głęboko pod powierzchnią, słońce prześwieca przez lód, wypełniając jej wnętrze niesamowitym niebieskim blaskiem.

Niektóre z najpiękniejszych jaskiń lodowcowych znajdują się na Islandii, w krainie lodu i ognia. Żar wulkanów ukrytych pod najniższymi warstwami lodowców roztapia lód i tworzy ogromne jaskinie.

Gdzie jest Świat Lodowych Olbrzymów?

Musisz wybrać się do Austrii, jeśli chcesz zobaczyć Świat Lodowych Olbrzymów, czyli Eisriesenwelt – największy na świecie system jaskiń lodowych. W odróżnieniu od jaskiń lodowcowych, jaskinie lodowe powstają we wnętrzu litej skały, gdy kamienne ściany jaskini okrywają się lodem, który nigdy nie topnieje.

W niektórych częściach Świata Lodowych Olbrzymów lód ma 20 metrów grubości.

Czym jest rura lawowa?

Rura lawowa to jaskinia wydrążona przez lawę – gorącą, płynną skałę wypływającą z wulkanu. Czasem, kiedy lawa spływa w dół zbocza, jej zewnętrzne warstwy stygną i zamieniają się w skalną skorupę, lecz warstwy wewnętrzne nadal są płynne. Kiedy taka lawa spłynie w dół, pod skorupą powstaje rurowata jaskinia.

Jak morze drąży jaskinie?

Jaskinie morskie powstają na skalnych wybrzeżach, gdzie fale niosące drobne kamyki i żwir uderzają o ścianę urwiska i drążą w niej otwory. Morskie jaskinie są doskonale ukryte, trudno znaleźć do nich wejście i jeszcze trudniej się do nich dostać. To dlatego przemytnicy chowali w nich swój towar.

Czym jest studnia krasowa?

Czasami fale mogą wybić otwór w stropie jaskini morskiej. Taki otwór nazywamy studnią krasową. Kiedy poziom wody podnosi się wraz z przypływem, fale uderzające w skałę dostają się do niego i wytryskują w górę niczym fontanna.

Gdzie jest Lazurowa Grota?

Lazurowa Grota znajduje się
na włoskiej wyspie Capri i jest
jedną z najpiękniejszych
na świecie jaskiń morskich.
Nazywana jest Lazurową, bo
w słoneczne dni wypełnia ją
oszałamiający błękitny blask (światło słoneczne, wpa-
dające do jaskini przez otwór ukryty pod powierzchnią
wody, jest filtrowane przez wodę morską).

We wnętrzu Lazurowej Groty odkryto
starożytną przystań dla łódek,
co dowodzi, że odwiedzano ją nawet
w czasach rzymskich.

Kto napisał „Grotę Fingala"?

Niemiecki kompozytor Felix Mendelssohn w 1829 roku
zwiedził Jaskinię Fingala i tak zachwycił się jej pięknem,
że nazwał na jej cześć fragment uwertury „Hebrydy".
Jaskinia znajduje się na wysepce Staffa,
przy zachodnim wybrzeżu Szkocji.

Gdzie znajdziesz grotołazów?

W jaskiniach, oczywiście! Grotołazi to ludzie, którzy badają jaskinie. Niektórzy grotołazi korzystają też ze sprzętu do nurkowania, by badać zalane sale i korytarze.

Niektóre korytarze są tak wąskie, że grotołazi z trudem się przez nie przeciskają.

Jaka jest pierwsza zasada badania jaskiń?

Nigdy nie wchodź do jaskini sam albo bez doświadczonego grotołaza, który będzie służył ci pomocą. Grotołazi zawsze pracują w grupach. Jaskinie to bardzo niebezpieczne miejsca i tylko wyszkoleni grotołazi mają odpowiednią wiedzę, doświadczenie i sprzęt, by je badać.

By nie zranić się o ostre skalne krawędzie, grotołazi noszą kaski oraz grube ubrania i buty. Zawsze noszą przy sobie liny i sprzęt do wspinaczki, który pozwala im schodzić w dół skalnych kominów i wspinać się w górę.

Dlaczego grotołazi mają lampy na kaskach?

Im głębiej wchodzisz do jaskini, tym robi się w niej ciemniej i bardziej wilgotno. Grotołazi potrzebują lamp, by odnajdywać drogę w ciemnościach. Noszą lampy na kaskach, by mieć wolne ręce i łatwiej wspinać się oraz przeciskać przez wąskie korytarze.

Gdzie jest strefa cienia?

Jaskinia to miniświat różnych stref oświetlenia i temperatury, zamieszkiwany i odwiedzany przez różne zwierzęta. W pobliże wejścia do jaskini dociera trochę światła i wody deszczowej, a temperatura jest tutaj zbliżona do temperatury panującej na zewnątrz. Strefa cienia jest ciemniejsza, bardziej wilgotna i chłodniejsza. Strefa ciemności w głębi jaskini jest jeszcze chłodniejsza i bardziej wilgotna, a przy tym zawsze panują w niej absolutne ciemności.

Obszar przy wejściu – ptaki, takie jak jaskółki, budują tu czasami gniazda na skalnych półkach, a na podłożu jaskini można znaleźć różnego rodzaju owady i inne stworzenia.

Czy w jaskiniach mogą rosnąć rośliny?

Czasami przy wejściu do jaskini rosną rośliny, które lubią cień, takie jak paprocie czy mchy, lecz rośliny zielone nie mogą żyć w ciemnościach we wnętrzu jaskini.

Wszystkie żywe stworzenia potrzebują wody, dlatego zwierzęta nie mogą żyć w głębi suchej jaskini.

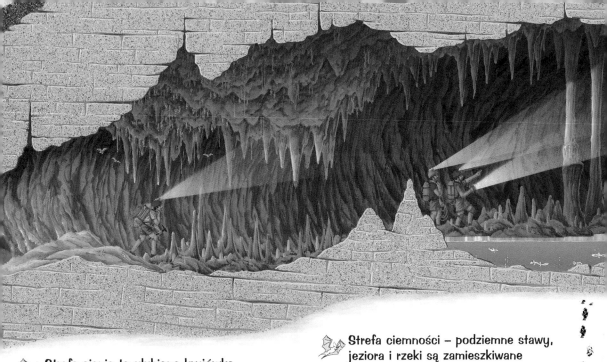

Strefa cienia to ulubiona kryjówka nietoperzy, węży, niektórych gatunków salamandry i wielu innych małych zwierząt.

Strefa ciemności – podziemne stawy, jeziora i rzeki są zamieszkiwane przez dziwaczne, blade ryby jaskiniowe, jaskiniowe raki i krewetki.

Czy w jaskiniach rosną grzyby?

Wiele różnych zwierząt może zamieszkiwać jaskinie. Na przykład w Jaskini Mamuciej w Kentucky, w USA, naukowcy odkryli do tej pory ponad dwieście gatunków zwierząt.

Owszem, rosną. Grzyby są nietypowymi roślinami i uwielbiają chłód, wilgoć i ciemność panujące we wnętrzu jaskini. Bakterie to jeszcze inne formy życia, które mogą przetrwać bez światła.

Czy w Jaskini Jeleniej żyją jelenie?

 Rekordowo duża kolonia nietoperzy znajduje się w jaskini Bracken, w amerykańskim stanie Teksas. Przez kilka miesięcy w roku mieszka tam aż 20 milionów nietoperzy.

Nie, jelenie wolą lasy. Jaskinia Jelenia w Parku Narodowym Gunung Mulu, na Borneo, słynie z mieszkających w niej nietoperzy – jest ich tam około pięciu milionów! Nietoperze to zwierzęta nocne, które uwielbiają ciemność. W ciągu dnia śpią, zwisając do góry nogami ze stropu jaskini. Gdy zapada zmrok, budzą się i wylatują na zewnątrz, na polowanie.

O zmroku z Jaskini Jeleniej wylatuje 200 000 nietoperzy na minutę!

Jak nietoperze widzą w ciemnościach?

Choć większość nietoperzy ma całkiem dobry wzrok, w ciemnościach jest on bezużyteczny. Zamiast więc polegać na swych oczach, nietoperze używają uszu. Każdy nietoperz wysyła strumień pisków, a potem słucha ich echa odbitego od skał, owadów i innych obiektów. Tego rodzaju metoda nazywa się echolokacją i pomaga nietoperzom odnajdywać drogę w ciemnościach oraz znajdywać jedzenie – ćmy lub inne owady.

Niektóre nietoperze, liścionosy, mają na pyszczku charakterystyczną fałdę skórną. Naukowcy przypuszczają, że służy ona do bardziej precyzyjnej echolokacji i wynajdywania smakowitych kąsków w powietrzu.

Każdy nietoperz wysyła swój własny wyjątkowy pisk. Pozwala to nietoperzym mamom odnaleźć swe dzieci w wielo-milionowych koloniach nietoperzy.

Czy z gniazda ptaka jaskiniowego można zrobić zupę?

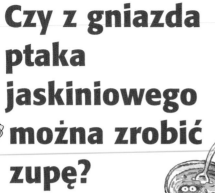

Zupa z ptasiego gniazda to chiński przysmak – potrawa bardzo ceniona na Wschodzie. Przyrządza się ją z gniazd salangan – ptaków, które zamieszkują jaskinie i posługują się echolokacją. Zamiast budować swe gniazda z gałązek, salangany plotą je z własnej śliny, która przykleja się mocno do ścian jaskini.

Odrywanie gniazd salangan od ścian jaskini to bardzo niebezpieczne zajęcie. Zbieracze wspinają się po łodygach bambusa na ogromne wysokości, by ich dosięgnąć.

Gniazda są twarde i niemal pozbawione smaku, doprawia się je więc rosołem z kury i różnymi przyprawami.

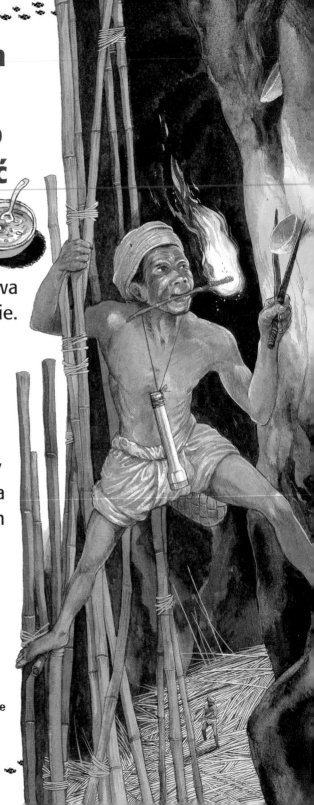

Dlaczego tłuszczaki kląskają?

Tłuszczaki to ptaki, które żyją w jaskiniach i wykorzystują echolokację do poruszania się w ciemnościach. Jednak podczas gdy dźwięki wydawane przez nietoperze są zazwyczaj zbyt wysokie, byśmy mogli je usłyszeć, dźwięki wydawane przez tłuszczaki są bardzo niskie – i przypominają stukot starej maszyny do pisania!

Zwierzęta jaskiniowe to stworzenia, które spędzają całe życie we wnętrzu jaskini. Niektóre zwierzęta mieszkają tam tylko przez jakiś czas, szukając schronienia przed złą pogodą lub polując.

Czy w jaskiniach żyją niedźwiedzie?

Niedźwiedzie chronią się w jaskiniach przed mrozem i śniegiem, nie spędzają w nich jednak całego roku. Podobnie jak nietoperze i ptaki, są w jaskiniach tylko gośćmi.

W Ameryce Północnej w jaskiniach chronią się także takie zwierzęta jak szczury, szopy pracze i żbiki.

W której jaskini świecą owady?

Nie musisz zabierać ze sobą latarki, jeśli wybierasz się do magicznej Groty Świetlików w jaskini Waitomo w Nowej Zelandii. Jej strop jest oświetlony przez tysiące świetlików, które migoczą w ciemnościach niczym maleńkie, czarodziejskie iskierki.

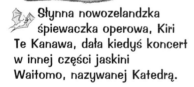

Słynna nowozelandzka śpiewaczka operowa, Kiri Te Kanawa, dała kiedyś koncert w innej części jaskini Waitomo, nazywanej Katedrą.

Dlaczego ryby jaskiniowe nie widzą?

Ryby jaskiniowe, podobnie jak inne stworzenia, które spędzają całe życie głęboko pod ziemią, nie potrzebują zmysłu wzroku, bo żyją w całkowitych ciemnościach. Zamiast oczu ryby jaskiniowe mają w skórze specjalne zakończenia nerwowe, które pozwalają im „wyczuć" drogę i znaleźć pokarm.

Ryba jaskiniowa

Które owady żywią się odchodami nietoperzy?

Odchody nietoperzy są bogatym źródłem jedzenia dla drobnych stworzeń zamieszkujących jaskinie, takich jak karaluchy, muchy i krocionogi. Z kolei te stworzenia są pożywieniem dla pareczników, świerszczy i pająków, na które polują większe zwierzęta, takie jak nietoperze i ptaki.

Odmieniec jaskiniowy to płaz, który przystosował się do życia w ciemnej strefie jaskini. Ma bladoróżową skórę i żyje w podziemnych strumieniach.

Parecznik

Kosarz

Świerszcz

Odmieniec jaskiniowy

W odróżnieniu od swych hałaśliwych krewniaków żyjących nad powierzchnią ziemi, świerszcze jaskiniowe nie cykają.

Czym są skarby z jaskini Lascaux?

We wnętrzu jaskini Lascaux w południowo-zachodniej Francji znajdują się starożytne skarby o wiele cenniejsze niż stosy lśniącego złota. Ściany jaskini są pokryte setkami malowideł i rysunków zwierząt – szarżujących byków, bizonów, piżmowołów, galopujących koni i skaczących reniferów. Jeszcze bardziej zdumiewający jest wiek tych malowideł – prehistoryczni artyści zaczęli je tworzyć 17 tysięcy lat temu.

Żółta, czerwona i brązowa farba jaskiniowych artystów była wytwarzana ze specyficznego rodzaju ziemi nazywanego ochrą. Białą farbę uzyskiwano z gliny lub kredowych kamieni, czarną zaś z węgla ze spalonych drzew.

Jaskinię Lascaux odkryli w 1940 roku chłopcy, którzy wybrali się na spacer. Podobno znaleźli wejście do jaskini, ratując psa, który do niej wpadł.

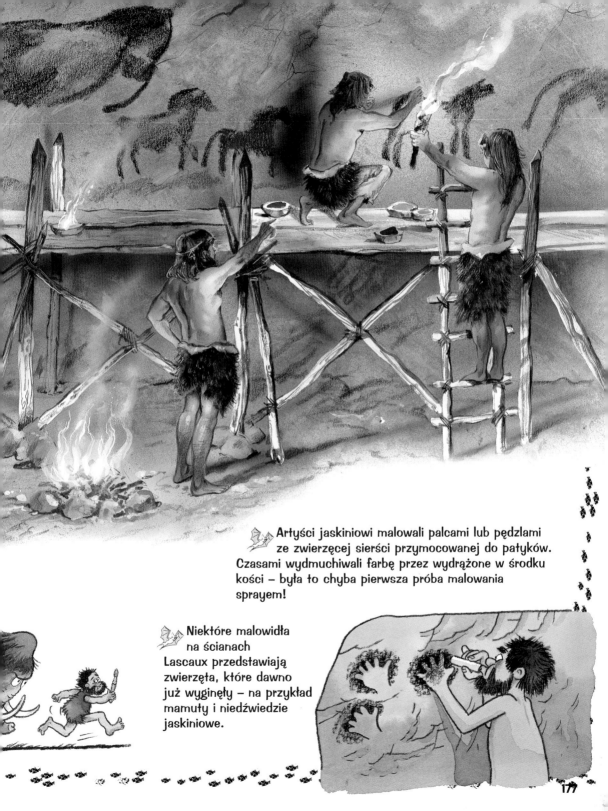

Artyści jaskiniowi malowali palcami lub pędzlami ze zwierzęcej sierści przymocowanej do patyków. Czasami wydmuchiwali farbę przez wydrążone w środku kości – była to chyba pierwsza próba malowania sprayem!

Niektóre malowidła na ścianach Lascaux przedstawiają zwierzęta, które dawno już wyginęły – na przykład mamuty i niedźwiedzie jaskiniowe.

Kto chował zmarłych w jaskiniach?

Starożytni Egipcjanie słyną z ogromnych piramid, jednak te niezwykłe grobowce miały jedną wadę – każdy złodziej w okolicy wiedział, gdzie leżą mumia zmarłej osoby i jej skarby. Już 3500 lat temu okradanie grobowców stało się tak dużym problemem, że Egipcjanie wpadli na nowy pomysł. Zaczęli drążyć w skałach sekretne jaskinie-grobowce, w których mogli ukryć swych zmarłych z dala od złodziei i rabusiów.

Ściany jaskiń-grobowców dekorowano pięknymi malowidłami. Wiele z nich przedstawiało codzienne życie w czasach starożytnego Egiptu.

Którego boga Rzymianie czcili w jaskiniach?

Dla rzymskich żołnierzy jednym z najważniejszych bogów był Mitra, bóg światła. Mitra był przedstawiany zawsze jako mężczyzna zabijający byka w jaskini i właśnie dlatego żołnierze modlili się do niego w jaskiniach, które wykopywali pod ziemią.

Czym są katakumby?

Starożytni Egipcjanie nie byli jedynym ludem, który grzebał swych zmarłych w jaskiniach. Katakumby to jaskinie-grobowce, które Żydzi i pierwsi chrześcijanie kopali w miękkiej skale pod Rzymem prawie dwa tysiące lat temu.

Lud Maraca żył w Brazylii, w Ameryce Południowej, prawie 400 lat temu. Członkowie tego ludu zamykali swych zmarłych w glinianych urnach o ludzkich kształtach, a urny chowali w naturalnych jaskiniach, które traktowali jako miejsca święte.

Gdzie jest różowe miasto wykute w skale?

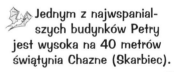

Jednym z najwspanialszych budynków Petry jest wysoka na 40 metrów świątynia Chazne (Skarbiec).

Niektóre starożytne ludy wyciosywały w skałach całe miasta. Jednym z najsłynniejszych miast tego rodzaju jest Petra, znajdująca się na terenie Jordanii. Nazywana jest różowym miastem ze względu na kolor piaskowca, w którym ją wydrążono.

Czy dzisiaj ludzie mieszkają w jaskiniach?

Owszem, mieszkają – albo w naturalnych jaskiniach, albo w tych, które wydrążyli w skale. W prowincji Szansi, w północnych Chinach, miliony ludzi mieszkają w jaskiniach. Niektóre rodziny hodują nawet rośliny na dachach swych skalnych domów.

W górniczym miasteczku Comber Pedy, w Australii, latem jest tak gorąco, że niemal wszystkie budynki są pod ziemią. Jest to centrum wydobycia opalu i mieszka w nim około 2500 ludzi.

Gdzie możesz uprawiać sport pod ziemią?

Skalną jaskinię Gjovik w Norwegii wydrążono w skale za pomocą materiałów wybuchowych i zamieniono w stadion sportowy, na którym od zimowych igrzysk w 1994 roku rozgrywa się mecze hokejowe. Jaskinia ta, o długości 91 i szerokości 61 m, jest jedną z największych na świecie sztucznych sal jaskiniowych.

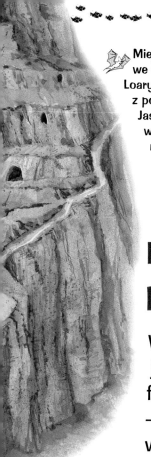

Miejscowość Saumur we francuskiej dolinie Loary także jest znana z podziemnych domów. Jaskinie zostały tu wykopane w osiemnastym wieku przez kamieniarzy, którzy wykorzystywali kamień do budowy wielkich zamków.

Dlaczego w jaskiniach przechowuje się ser?

W jaskiniach produkuje się jeden z najsmaczniejszych francuskich serów – rokfor. Ser ten jest wytwarzany z owczego mleka, a wyjątkowy smak nadają mu pasemka niebieskiej pleśni. Pleśń to rodzaj grzyba, który wyrasta z nasion zwanych zarodnikami. Zarodniki te dodaje się do owczego mleka na początku procesu produkcyjnego. Młode sery są przechowywane w jaskiniach, które zapewniają odpowiednie warunki do rozrostu pleśni.

Warunki panujące w jaskiniach są także idealne do przechowywania wina i hodowli różnego rodzaju grzybów jadalnych.

Która bogini słońca ukryła się w jaskini?

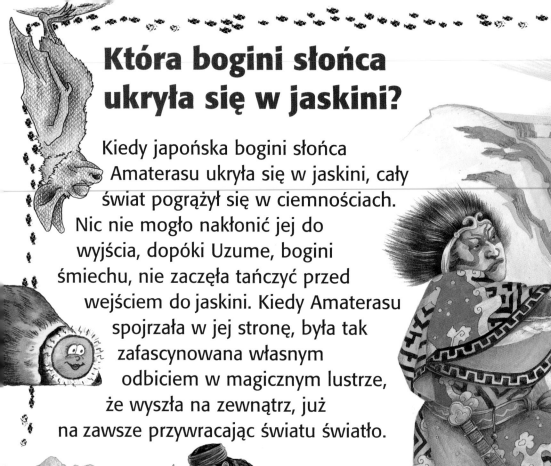

Kiedy japońska bogini słońca Amaterasu ukryła się w jaskini, cały świat pogrążył się w ciemnościach. Nic nie mogło nakłonić jej do wyjścia, dopóki Uzume, bogini śmiechu, nie zaczęła tańczyć przed wejściem do jaskini. Kiedy Amaterasu spojrzała w jej stronę, była tak zafascynowana własnym odbiciem w magicznym lustrze, że wyszła na zewnątrz, już na zawsze przywracając światu światło.

Indianie Zuni z południowego zachodu USA wierzyli, że pierwsi ludzie byli dziwnymi stworzeniami, które wyszły na świat z czterech jaskiń. Gdy ci praprzodkowie ludzi po raz pierwszy odważyli się wyjść na zewnątrz, bóg Yanaluha nauczył ich, jak hodować rośliny i przetrwać.

Majowie z Ameryki Południowej wierzyli, że w jaskiniach mieszka Zotz – bóg o ludzkim ciele oraz skrzydłach i głowie nietoperza.

Kim jest troll?

Według starych skandynawskich legend trolle to przerażające stworzenia, znacznie większe i silniejsze od ludzi. Żyją w jaskiniach, które opuszczają tylko po zmroku, by polować na swój ulubiony przysmak – ludzi!

Mity starożytnych Greków opowiadają o cyklopach – jednookich olbrzymach, którzy mieszkali w jaskiniach i żywili się surowym mięsem, także ludzkim.

Na świecie istnieją miejsca zalane wodą, ale również takie, w których woda pojawia się raz na kilkaset lat lub wcale. Są to pustynie. Mimo trudnych warunków żyją na nich zwierzęta i rosną rośliny, które przystosowały się do suchego klimatu, dużych różnic temperatur i ciągłego braku wody. Również ludzie umieją sobie z tym poradzić, budując miasta w oazach, które są schronieniem dla wędrujących przez pustynię. Zobaczmy, jak powstały pustynie i jak toczy się życie pod palącym słońcem.

PUSTYNIE

Czym jest pustynia?

Pustynie to najsuchsze obszary Ziemi – miejsca, gdzie prawie nigdy nie pada. Na większości z nich roczne opady wynoszą mniej niż 25 cm, czyli jedną dziesiątą tej ilości deszczu, która spada rocznie na lasy deszczowe – najwilgotniejsze części świata.

Pustynie to nie tylko najsuchsze miejsca na Ziemi – to także obszary najbardziej wietrzne.

Czy na wszystkich pustyniach jest gorąco?

Nawet jeśli wybierasz się na gorącą pustynię, nie zapomnij zabrać ze sobą swetra. Choć w ciągu dnia temperatura może przekroczyć 40°C, w nocy może spaść nawet do 0°C. Brrr!

Na większości pustyń w ciągu dnia jest tak gorąco, że na rozgrzanych skałach można usmażyć jajko. Jednak nie wszystkie pustynie są takie. Na niektórych panują upalne lata i mroźne zimy, na innych jest bardzo zimno przez cały rok.

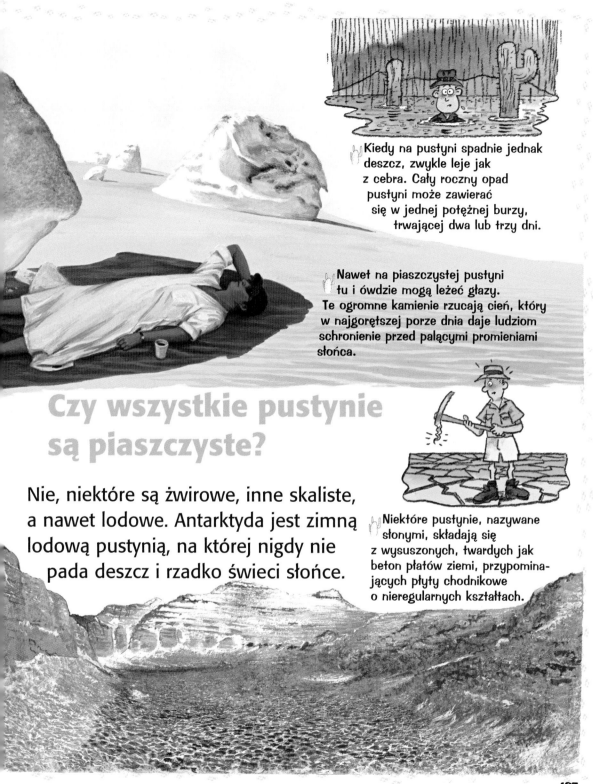

Kiedy na pustyni spadnie jednak
deszcz, zwykle leje jak
z cebra. Cały roczny opad
pustyni może zawierać
się w jednej potężnej burzy,
trwającej dwa lub trzy dni.

Nawet na piaszczystej pustyni
tu i ówdzie mogą leżeć głazy.
Te ogromne kamienie rzucają cień, który
w najgorętszej porze dnia daje ludziom
schronienie przed palącymi promieniami
słońca.

Czy wszystkie pustynie są piaszczyste?

Nie, niektóre są żwirowe, inne skaliste,
a nawet lodowe. Antarktyda jest zimną
lodową pustynią, na której nigdy nie
pada deszcz i rzadko świeci słońce.

Niektóre pustynie, nazywane
słonymi, składają się
z wysuszonych, twardych jak
beton płatów ziemi, przypominających płyty chodnikowe
o nieregularnych kształtach.

Gdzie jest największa pustynia na Ziemi?

Około jednej piątej całej powierzchni lądu na Ziemi to pustynie.

Największą pustynią na Ziemi jest Sahara w Afryce Północnej. Jest większa od Australii i niemal tak duża jak Stany Zjednoczone.

Legenda

Najsuchsze pustynie, gdzie prawie nigdy nie pada

Pustynie, na które spada nieco więcej deszczu i na których rosną pewne gatunki roślin odpornych na upał

Półpustynie porośnięte krzewami

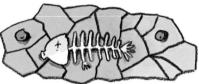

Znajdująca się na pustyni Mojave, 86 m poniżej poziomu morza, Dolina Śmierci to najniżej położone miejsce w USA.

NA SPRZEDAŻ

AMERYKA PÓŁNOCNA

Wielka Kotlina

Mojave

Sonora

Chihuahua

OCEAN ATLANTYCKI

Równik

AMERYKA POŁUDNIOWA

Sechura

Atakama

Patagonia

Pustynia Atakama w Ameryce Południowej to najsuchsze miejsce na Ziemi. W niektórych częściach Atakamy deszcz nie padał w ogóle od 1570 do 1971 roku – czyli przez 401 lat!

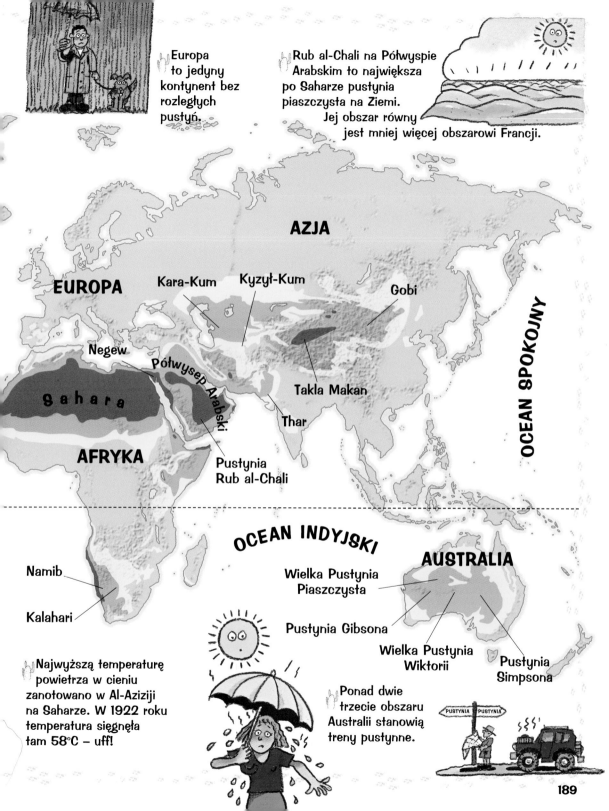

Europa to jedyny kontynent bez rozległych pustyń.

Rub al-Chali na Półwyspie Arabskim to największa po Saharze pustynia piaszczysta na Ziemi. Jej obszar równy jest mniej więcej obszarowi Francji.

AZJA

EUROPA

Kara-Kum

Kyzyl-Kum

Gobi

Negew

Półwysep Arabski

Sahara

Takla Makan

Thar

AFRYKA

Pustynia Rub al-Chali

OCEAN SPOKOJNY

OCEAN INDYJSKI

AUSTRALIA

Namib

Kalahari

Wielka Pustynia Piaszczysta

Pustynia Gibsona

Wielka Pustynia Wiktorii

Pustynia Simpsona

Najwyższą temperaturę powietrza w cieniu zanotowano w Al-Aziziji na Saharze. W 1922 roku temperatura sięgnęła tam 58°C – uff!

Ponad dwie trzecie obszaru Australii stanowią treny pustynne.

PUSTYNIA PUSTYNIA

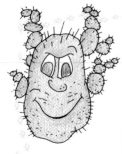

Dlaczego pustynie są piaszczyste?

Silne wiatry pustynne podnoszą czasami wielkie chmury piasku. Niesiony wiatrem piach jest tak silny, że może zedrzeć lakier z samochodu!

Pustynie piaszczyste powstają głównie dzięki wiatrowi. Silny wiatr uderza w skały i niszczy je. Skała powoli pęka i rozdrabnia się na mniejsze kamienie, które z czasem także ulegają rozkruszeniu i zamieniają się w maleńkie ziarna piasku.

Jak wysokie są najwyższe wydmy pustynne?

Wydmy pustynne mogą przybierać różne rozmiary i kształty, od maleńkich kopców do wielkich, stromych wzgórz. Najwyższe wydmy mają ponad 300 metrów wysokości – ponad dwa razy więcej niż najwyższa piramida egipska!

Gdzie szukać skał w kształcie grzyba?

Na pustyni, oczywiście!
Niszcząc skały, wiatr rzeźbi
je w różne dziwne
i niesamowite kształty.

Kiedy pustynna wydma przesuwa się
i zmienia kształt, wydaje z siebie
różne dziwne odgłosy – można się
naprawdę przestraszyć!

O wschodzie i zachodzie słońca skały
i piasek Malowanej Pustyni w Stanach
Zjednoczonych lśnią całą tęczą kolorów
– od błękitu i fioletu do złotej żółci,
brązu i czerwieni.

Niektóre wydmy mają
kształt
półksiężyca...

...podczas gdy inne
wyglądają jak
gwiazdy.

Wydma w kształcie litery S czasem jest
nazywana „seif" – od arabskiego słowa
oznaczającego miecz.

Czym jest oaza?

Choć na pustynię spada bardzo mało deszczu, w niektórych miejscach woda wypływa na powierzchnię ze źródeł ukrytych głęboko pod ziemią. Jeśli przez cały rok wody jest na tyle dużo, by na pewnym obszarze pustyni wyrosły rośliny, to takie miejsce nazywamy oazą.

Ludzie drążą głębokie podziemne tunele, które doprowadzają wodę na pustynię.

Kiedy w wadi jest woda?

Wadi to rodzaj pustynnej doliny, która przez większość czasu jest sucha jak pieprz. Kiedy jednak nadchodzi burza, wadi szybko wypełnia się wodą i zamienia w koryto rwącej, niebezpiecznej rzeki.

Każdego roku w australijskim mieście Alice Springs organizowane są wyścigi w suchym korycie rzeki Todd. Zawodnicy biegną w łódkach pozbawionych dna!

Jak światło słoneczne oszukuje wędrowców na pustyni?

Chłodne powietrze

Zakrzywienie światła

Ciepłe powietrze

Fatamorgana

Tym, co najbardziej pragnie ujrzeć spragniony wędrowiec, jest woda. Czasami jednak migotliwa powierzchnia, którą widać na pustyni, wcale nie jest wodą – to tylko odbicie nieba. Takie fałszywe obrazy nazywamy fatamorganą lub mirażem.

Fatamorgana pojawia się wtedy, kiedy światło słoneczne „zakrzywia" się w gorącym powietrzu tuż nad gruntem. Naukowa nazwa tego zjawiska to refrakcja.

Jak rośliny żyją na pustyni?

Wszystkie żywe organizmy potrzebują wody, trudno więc zwierzętom i roślinom przeżyć w suchym klimacie. Rośliny czerpią wodę korzeniami, dlatego też niektóre pustynne rośliny mają bardzo długie korzenie, sięgające głęboko w ziemię.

Korzenie krzewu jadłoszynu mogą sięgać nawet 30 metrów w głąb ziemi.

Dlaczego kaktusy są kolczaste?

Kolce kaktusa są jak ogrodzenie z drutu kolczastego – chronią go przed zwierzętami, które chciałyby zjeść pożywny, wypełniony wodą miąższ.

Gdy pustynne rośliny dostają w końcu wodę, starają się jak najdłużej ją zatrzymać. Niektóre magazynują wodę w liściach, natomiast kaktusy przechowują ją w swych grubych mięsistych pniach.

Niektóre kaktusy nie mają kolców, przybierają jednak barwy ochronne, by ukryć się przed zwierzętami. Wyglądają jak drobne kamyczki!

PUSTYNIE

Najwyższy kaktus to karnegia olbrzymia, która może osiągać wysokość 20 metrów – więcej niż cztery wielbłądy postawione jeden na drugim!

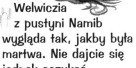

Welwiczia z pustyni Namib wygląda tak, jakby była martwa. Nie dajcie się jednak oszukać – ta roślina może żyć nawet 2000 lat.

Kiedy pustynia pokrywa się kwiatami?

Niektóre rośliny pustynne rosną tylko wtedy, kiedy spadnie deszcz. Po nadejściu burzy nasiona kiełkują, rosną i rozkwitają w ciągu kilku tygodni, zamieniając pustynię w barwną, ukwieconą łąkę.

Jak długo wielbłąd może wytrzymać bez wody?

Istnieją dwa rodzaje wielbłądów. Arabskie **dromadery** mają jeden garb, a azjatyckie **baktriany** mają dwa garby.

Wielbłądy mogą wytrzymać bez wody wiele dni – a nawet tygodni, jeśli znajdą dość dużo soczystych roślin. Gdy wielbłąd dostaje wodę, może wypić kilkadziesiąt litrów za jednym razem.

Wielbłąd może wytrzymać bez wody nawet kilka tygodni, bo jego garb jest jak plecak, w którym woda jest przechowywana w postaci tłuszczu.

Wiele jaszczurek pustynnych przechowuje tłuszcz w ogonie.

Które zwierzęta pustynne nigdy nie piją?

Skoczki pustynne (po prawej) i kanguroszczury nie piją. Całą wodę potrzebną do życia czerpią z ziaren roślin i innych rodzajów pożywienia.

Czy na pustyni mogą żyć ropuchy?

Poranna mgła to wystarczająca ilość wody dla pewnego gatunku chrząszcza z rodzaju *Stenocara*, żyjącego na pustyni Namib. Kiedy przechyli on odwłok do góry, krople wody spływają prosto do jego otworu gębowego.

Pewna amerykańska ropucha – grzebiuszka – znalazła sprytny sposób na przetrwanie pustynnych upałów. Przez większość roku kryje się w podziemnej jamie. Wychodzi na zewnątrz tylko podczas pory deszczowej, by złożyć jaja.

Niemal wszystkie inne ropuchy żyją w wilgotnych, pełnych wody miejscach, bo są płazami – zwierzętami, które muszą składać jaja w wodzie.

Samiec pustynnika to latająca butelka z wodą. Kiedy znajdzie kałużę, wykorzystuje swą puszystą pierś jak gąbkę – nasącza ją wodą, którą zanosi do gniazda swym pisklętom.

Jak lisy pustynne chronią się przed przegrzaniem?

Wielkie uszy lisa pustynnego działają jak chłodnice: odprowadzają ciepło i utrzymują ciało lisa w odpowiedniej temperaturze. Dzięki nim lis lepiej słyszy zbliżających się wrogów, takich jak hieny.

Zając północno-amerykański również utrzymuje właściwą temperaturę ciała dzięki wielkim uszom.

Które zwierzę ma swój własny parasol przeciwsłoneczny?

W odróżnieniu od większości małych zwierząt pustynnych susły spędzają większość dnia na słońcu. Chronią się przed upałem pod nietypowymi parasolami z własnych ogonów!

Wiele susłów wykorzystuje ogony do ostrzegania przed zbliżającym się niebezpieczeństwem.

Kret workowaty większą część życia spędza zagrzebany w piasku. W ciągu jednej nocy może wydrążyć nawet 4 km korytarza!

Wiele zwierząt pustynnych ma jasne futro, które odbija światło słoneczne i pomaga zachować właściwą temperaturę ciała.

Dlaczego zwierzęta pustynne uwielbiają ciemność?

Sóweczka kaktusowa chroni się przed gorącym słońcem pustyni w otworze w pniu karnegii olbrzymiej.

W ciemności jest znacznie chłodniej niż w blasku słońca, więc wiele drobnych zwierząt chroni się przed upałem w podziemnych jamach i wychodzi tylko na polowanie, wczesnym rankiem lub wieczorem.

Jak grzechotniki zabijają swe ofiary?

Atakujący grzechotnik jest szybki jak błyskawica. Otwiera szeroko paszczę, wysuwa do przodu zęby, a potem wbija je w ciało ofiary i wstrzykuje przez nie śmiercionośny jad. Drobne zwierzęta umierają w ciągu kilku sekund.

Nazwa grzechotników pochodzi od dźwięku, jaki wydaje ich drżący ogon.

Które jaszczurki pustynne są jadowite?

Na pustyniach żyją setki gatunków jaszczurek, ale tylko dwa z nich są jadowite – heloderma meksykańska i heloderma arizońska. Nie ma się jednak czego obawiać. Jaszczurki te wykorzystują swój jad tylko do obrony przed wrogami, a nie do ataku.

Dlaczego skorpiony mają jad w ogonie?

Skorpiony wstrzykują jad przez ogon, ale tylko wtedy, kiedy są naprawdę zmęczone. Zazwyczaj chwytają i zabijają swą zdobycz tylko za pomocą szczypców. Skorpiony mają małe oczy i nie widzą zbyt dobrze, tropią więc swe ofiary dzięki zmysłom dotyku i węchu.

Czakuela chroni się przed wrogami w bardzo oryginalny sposób – wciska się w szczelinę skalną i nadyma swe ciało powietrzem. Wtedy trudniej wyjąć ją stamtąd niż korek z butelki.

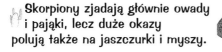

Skorpiony zjadają głównie owady i pająki, lecz duże okazy polują także na jaszczurki i myszy.

Jak ludzie żyją na pustyni?

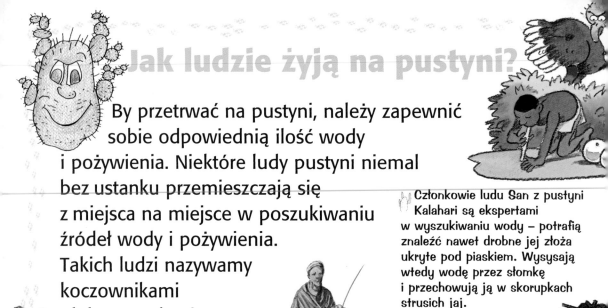

By przetrwać na pustyni, należy zapewnić sobie odpowiednią ilość wody i pożywienia. Niektóre ludy pustyni niemal bez ustanku przemieszczają się z miejsca na miejsce w poszukiwaniu źródeł wody i pożywienia. Takich ludzi nazywamy koczownikami lub nomadami.

Członkowie ludu San z pustyni Kalahari są ekspertami w wyszukiwaniu wody – potrafią znaleźć nawet drobne jej złoża ukryte pod piaskiem. Wysysają wtedy wodę przez słomkę i przechowują ją w skorupkach strusich jaj.

Ludy koczownicze nie wędrują każdego dnia – przenoszą się tylko wtedy, kiedy potrzebują świeżych zapasów wody lub pożywienia.

Co jedzą koczownicy?

Tylko nieliczni koczownicy zdobywają pożywienie, polując na dzikie zwierzęta. Większość hoduje własne stada, dzięki czemu może pić mleko swoich zwierząt i przerabiać je na ser.

Kiedy pustynia rozkwita po obfitych opadach deszczu, mrówki miodowe spijają słodki nektar z kwiatów. Niektóre przechowują go we własnych ciałach, zamieniając się w żywe pojemniki z miodem.

Kto jadł mrówki?

W przeszłości koczowniczy lud Aborygenów zamieszkujący pustynie Australii żywił się tym, co znalazł lub upolował na pustyni – od kangurów po jaszczurki, owady i rośliny. Słodki pokarm był rzadkością, więc gniazdo mrówek miodowych uważano za prawdziwy przysmak.

Tuaregowie to koczowniczy lud pasterski żyjący na Saharze. Nazwa tego ludu oznacza tyle, co „ludzie z woalem", twarze mężczyzn są bowiem niemal całkiem zasłonięte przez duże turbany, przypominające woal.

Dlaczego ludzie pustyni budują domy z cegieł z suszonego błota?

Błoto to świetny materiał budowlany. Wnętrze domu o ścianach z błota jest chłodne, gdy na zewnątrz są ogromne upały, i zatrzymuje ciepło, gdy na zewnątrz robi się zimno. Poza tym błoto jest bardzo tanie – wystarczy je wykopać.

Domy mogą być budowane z warstw gliniastego błota lub z cegieł powstałych z błota zmieszanego ze słomą lub zwierzęcą sierścią.

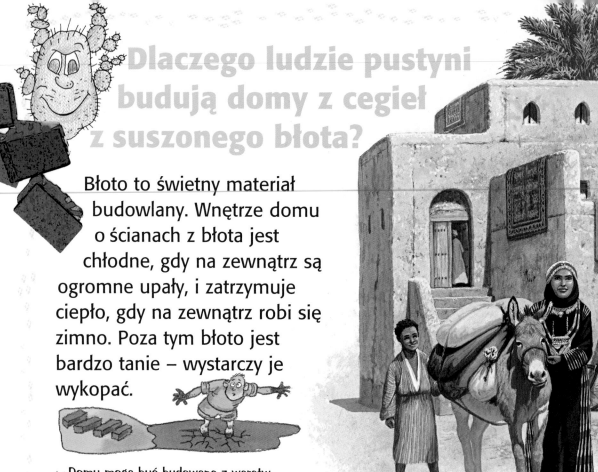

Czy na pustyni są miasta?

Oczywiście, że tak. Choć w przeszłości tysiące ludzi wiodło koczowniczy tryb życia, dziś robią to tylko nieliczni. Większość mieszka w oazach lub w dolinach rzek, takich jak Nil, albo na obrzeżach pustyni.

Czym jest jurta?

Podróżnicy potrzebują przenośnych domów, a jurty to tradycyjne okrągłe namioty mongolskich koczowników z pustyni Gobi. Jurty są wykonane z drewnianych palików okrytych filcem zrobionym z owczej wełny.

Namioty koczowniczego ludu Beduinów z Bliskiego Wschodu są pokryte materiałem wykonanym z koziej sierści.

Gdzie ludzie malują piaskiem?

Na pustynnym płaskowyżu Nazca w Ameryce Południowej ponad 1200 lat temu ludzie wyryli w skalistym gruncie ogromne wizerunki zwierząt i ptaków.

Indianie Nawaho tworzą z kolorowego piasku piękne obrazy, które są im potrzebne do obrzędów leczniczych i innych tradycyjnych ceremonii. Indianie Nawaho mieszkają na południowym wschodzie Wielkiej Kotliny w USA.

Dlaczego australijscy badacze sprowadzili do Australii wielbłądy?

W lutym 1861 roku Robert Burke i William Wills jako pierwsi osadnicy przeszli całą Australię z południa na północ. Chcieli, by ich zapasy niosły wielbłądy, bo trasa wędrówki wiodła przez pustynie w głębi kontynentu. Ponieważ jednak wielbłądy nie są australijskimi zwierzętami, badacze musieli sprowadzić je z Afganistanu.

Darwin

Burke i Wills zmarli w obozie Cooper Creek

Melbourne

Niestety, Burke i Wills zmarli z głodu podczas podróży powrotnej na południe. Przeżył tylko ich towarzysz, John King.

Kto przeleciał nad Saharą na motolotni?

Zrobiła to brytyjska badaczka Christina Dodwell w latach osiemdziesiątych ubiegłego wieku, podczas liczącego 11 000 km lotu przez Afrykę. Jej maleńka maszyna nazywała się „Pegaz", tak jak skrzydlaty koń z greckich mitów.

Który badacz pustyni nosił wodę w butach?

Szwed Sven Hedin omal nie umarł z pragnienia, kiedy podróżował przez azjatycką pustynię Takla Makan pod koniec dziewiętnastego wieku. Gdy w końcu znalazł wodę, dwóch spośród jego towarzyszy już nie żyło, a trzeci poddał się i przestał maszerować kilka godzin wcześniej. Hedin uratował go, zanosząc mu wodę, której nabrał do butów.

Kiedy w siódmym wieku chiński mnich Hsuan Tsang wybrał się na samotną wyprawę przez pustynię Gobi, niemal na samym początku wędrówki upuścił bukłak z wodą. Uratował go jego koń, który wyczuł trawę rosnącą wokół wodopoju i zaprowadził go tam.

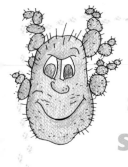

Gdzie na pustyni ścigają się samochody?

Brytyjczyk Andy Green został najszybszym kierowcą świata, kiedy w październiku 1997 roku jego samochód, napędzany silnikiem odrzutowym, osiągnął niesamowitą prędkość 1227,8 km/h. Green ustanowił ten rekord na gładkiej, płaskiej powierzchni pustyni Black Rock w USA.

Co roku, w styczniu, kierowcy igrają ze śmiercią, przejeżdżając przez Saharę podczas rajdu Paryż–Dakar. W 1983 roku trzeba było ratować 40 kierowców, którzy zgubili się podczas straszliwej burzy piaskowej.

Dlaczego pojazdy kosmiczne są testowane na pustyni?

Łazik kosmiczny Sojourner był badany na pustyniach USA, nim został wysłany na Marsa, gdzie wylądował w 1997 roku.

Pustynia to obszar, który najbardziej spośród wszystkich krain geograficznych na Ziemi przypomina powierzchnię Marsa. Dlatego też jest to idealne miejsce do badania pojazdów, które kiedyś zostaną na Marsa wysłane.

Gdzie odbywa się najtrudniejszy maraton na świecie?

Trzeba być naprawdę bardzo wytrzymałym, by brać udział w Maratonie Piasków. Bieg ten odbywa się na Saharze, a biegacze w ciągu sześciu dni pokonują dystans 230 kilometrów – więcej niż pięć normalnych maratonów!

Choć w środku dnia temperatura może osiągnąć 45°C, pustynni biegacze muszą nieść ze sobą jedzenie, ubrania i wszystko, czego potrzebują – prócz namiotu.

Na arabskich pustyniach odbywają się wyścigi wielbłądów, przypominające nasze wyścigi konne. Wielbłądy biegną z prędkością powyżej 30 km/h.

Czy na pustyni są skarby?

Tak – na pustyniach wydobywa się złoto, srebro i diamenty. Jedna z największych kopalni diamentów znajduje się na pustyni Kalahari.

Czym jest czarne złoto?

W dawnych czasach sól była równie cenna, jak złoto, a na Saharze istniały kopalnie soli.

Ludzie często nazywają ropę „czarnym złotem", bo jest to jedno z najcenniejszych na naszej planecie bogactw naturalnych. Wiele krajów i wielu ludzi wzbogaciło się dzięki złożom ropy naftowej.

Dużą część sprzedawanej na świecie ropy wydobywa się ze skał ukrytych głęboko pod powierzchnią arabskich pustyń.

Jak pustynie mogą dać nam czystą energię?

W elektrowniach słonecznych ciepło promieni słonecznych zamienia się na energię elektryczną. Elektrownie takie są znacznie bardziej ekologiczne niż elektrownie, w których spala się ropę czy węgiel, a pustynie to idealne miejsca na ich budowę.

Skarby nie zawsze się świecą. W 1923 roku amerykańscy archeolodzy jako pierwsi odkryli skamieniałe jaja dinozaurów na pustyni Gobi. Jaja sprzedano później za wiele tysięcy dolarów.

Największa elektrownia słoneczna znajduje się na pustyni Mojave w USA.

211

Czy na Saharze kiedykolwiek rosła trawa?

Klimat zmienia się stopniowo. Przed tysiącami lat na Saharze było znacznie wilgotniej, rosła na niej trawa, którą żywiły się zwierzęta. Wiemy o tym dzięki skamieniałościom i prehistorycznym rysunkom na skałach, które dowodzą, że niegdyś żyły tu bawoły, antylopy, żyrafy i słonie.

Co zamienia zielone pola w pustynię?

Głównym winowajcą jest zbyt intensywna hodowla zwierząt. Korzenie roślin wiążą ziemię i nie pozwalają, by roznosił ją wiatr. Kiedy ludzie wypasają zbyt wiele zwierząt na obrzeżach pustyni, zwierzęta zjadają wszystkie rośliny, gleba znika, a ziemię pokrywa piasek.

Pustynie powstają też wtedy, gdy zmienia się klimat i znacznie rzadziej pada deszcz.

Rysunki na skałach ukazują także ludzi, pływających w starożytnych saharyjskich rzekach i jeziorach, oraz zwierzęta wodne, takie jak hipopotamy czy krokodyle.

Czy można zmienić pustynię w zielone pola?

Ogromne systemy nawadniające mają ponownie zamienić pustynię w żyzną zieloną ziemię. W niektórych częściach Afryki Północnej piasek jest usiany okrągłymi polami, które powstały dzięki gigantycznym obrotowym zraszaczom.

W niektórych częściach Półwyspu Arabskiego pozostałości z procesu rafinowania ropy są rozpylane na pustynnych wydmach. Szara, błotnista mikstura zatrzymuje wodę i pozwala rozwijać się roślinom.

Czasami pewne zjawiska atmosferyczne przybierają na sile – mogą być nawet niebezpieczne dla ludzi. Mówimy wtedy o wystąpieniu kataklizmu. Powodzi, cyklonów czy trzęsień ziemi nie można powstrzymać, jednak ludzie badają przyczyny i przebieg kataklizmów, by umieć zareagować, gdy znów nastąpią. Spróbujmy dowiedzieć się, dlaczego niewinny wiaterek lub mały deszcz mogą przerodzić się w zagrażający ludziom kataklizm.

KATAKLIZMY

Skąd się biorą błyskawice?

Oślepiająca rzeka światła przecina zygzakiem niebo. To właśnie jest błyskawica – olbrzymia iskra elektryczna, która powstaje we wnętrzu chmury burzowej.

Błyskawica nagrzewa po drodze powietrze, aż staje się ono bardzo gorące – gorętsze niż powierzchnia Słońca – i wywołuje falę uderzeniową, którą nazywamy grzmotem!

W chmurze burzowej powstają ładunki elektryczne, kiedy silne wiatry miotają w jej wnętrzu kropelki wody, kryształki lodu i ziarna gradu.

Gdy kropelki wody i kryształki lodu kręcą się we wnętrzu chmury, wytwarzają ogromny ładunek elektryczny. Ładunek ten jest uwalniany w postaci oślepiających błyskawic.

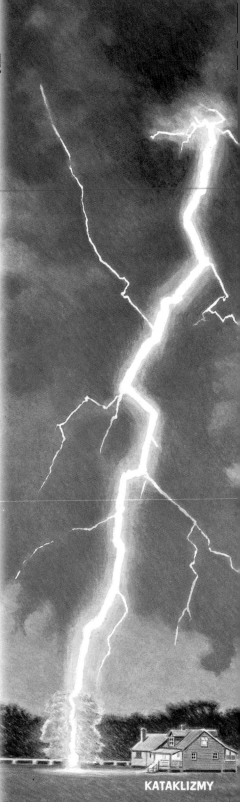

Wikingowie wierzyli, że to bóg Thor wywołuje błyskawice, rzucając swym młotem, i że grzmot to turkot kół jego rydwanu.

Czym jest piorun kulisty?

Jeśli piorun uderzy w piaszczyste podłoże, żar może stopić piasek. Kiedy piasek już ostygnie, przyjmuje formę szklanej rzeźby pokazującej, którędy wędrowała błyskawica.

Czasami podczas burzy można zobaczyć dziwne, roziskrzone kule światła, unoszące się tuż nad ziemią. To zdumiewające zjawisko jest nazywane piorunem kulistym. Naukowcy nie wiedzą do końca, co je właściwie wywołuje, mogą to być jednak kule rozpalonych gazów, uwalnianych w chwili uderzenia błyskawicy w ziemię.

Podczas pewnej burzy błyskawice uderzyły w Empire State Building w Nowym Jorku 15 razy w ciągu 15 minut!

Dlaczego płoną lasy?

Nie trzeba wiele, by wywołać pożar, gdy rośliny są wysuszone w gorące, bezdeszczowe lato. Piorun może czasem zapalić suche drzewo, większość pożarów to jednak skutek nieostrożności ludzi, którzy rzucają na ziemię niedopałki papierosów lub płonące jeszcze zapałki. Ogień może strawić kilometr lasu w ciągu godziny, a jeśli pożar wymknie się spod kontroli, może zniszczyć tysiące hektarów ziemi.

W 1997 roku pożary lasów szalały w Indonezji przez kilka miesięcy, a gruba warstwa dymu rozciągnęła się na znaczne części Azji Południowo-
-Wschodniej.

Choć pożary lasów niosą zniszczenie, niektóre rośliny potrzebują ich, by wytworzyć nowe sadzonki. W Australii rosną krzewy, których strąki otwierają się tylko pod wpływem gorąca wytworzonego przez ogień.

Kto bombarduje pożary?

W niektórych krajach strażacy używają do gaszenia pożaru specjalnego samolotu. Samolot taki może przelatywać tuż nad powierzchnią jeziora lub morza i czerpać do zbiorników tysiące litrów wody. Potem wraca nad obszar ogarnięty pożarem, by zbombardować ogień mokrym ładunkiem.

W Australii co roku dochodzi aż do 15 000 pożarów buszu.

Jak można zwalczać ogień ogniem?

Przecinka to oczyszczony pas ziemi, na którym nie ma niczego, co mogłoby stanowić pożywkę dla ognia. Strażacy czasami celowo wywołują minipożary, by oczyścić ziemię przed nadchodzącym pożarem.

Kiedy wiatr staje się wichurą?

Im szybciej wieje wiatr, tym jest silniejszy i groźniejszy. Dwunasto-stopniowa skala Beauforta określa siłę wiatru w zależności od tego, jak działa on na otoczenie. Na przykład 3. stopień w tej skali to łagodna bryza – wiatr o prędkości od 12 do 19 km/h, który porusza gałęziami. Wiatr oznaczony 7. stopniem to umiarkowana wichura wiejąca z prędkością od 50 do 61 km/h, kołysząca całymi drzewami!

Wiatr o sile 10 stopni to już prawdziwa wichura – wieje z prędkością od 89 do 102 km/h i może przewracać drzewa. Sztormy mają siłę 11 stopni, a huragany 12 stopni w skali Beauforta.

W marcu 1993 roku wschodnie wybrzeże Kanady i USA zaatakowała straszliwa śnieżyca, której towarzyszyły huraganowe wiatry. Tysiące budynków uległo zniszczeniu lub uszkodzeniu, a śnieżycę ze względu na jej niezwykłą siłę nazwano burzą stulecia.

Dlaczego śnieżyce są niebezpieczne?

Zimne wiatry mogą nieść ze sobą burze śnieżne, które nazywamy śnieżycami. Podczas śnieżyc tworzą się często ogromne zaspy, które blokują ruch na drogach i uniemożliwiają ludziom dojazd do pracy lub do szkoły.

Śnieżyca, która nawiedziła stan Kalifornia w USA w 1959 roku, zostawiła po sobie zaspy o głębokości ponad 4,5 metra!

Dlaczego ludzie strzelali do chmur?

Ziarna gradu mogą mieć wielkość piłek tenisowych i potrafią wyrządzić ogromne szkody. W niektórych krajach rolnicy próbują chronić swe uprawy, strzelając do chmur z dział przeciwgradowych, co ma powstrzymać opady gradu. Naukowcy nie są pewni, czy ta metoda jest skuteczna.

W 1882 roku w stanie Iowa, w USA, we wnętrzu wielkich ziaren gradu znaleziono dwie żywe żaby! Prawdopodobnie zostały wciągnięte do chmury przez tornado.

Jakie szkody może wyrządzić huragan?

Wiatry wiejące z prędkością ponad 117 km/h, czyli huragany, to najgroźniejsze zjawiska burzowe na Ziemi. Huragany powstają nad ciepłymi morzami tropikalnymi, a jeśli dotrą do lądu, mogą powalać całe lasy, niszczyć domy, przewracać samochody, a nawet unosić łodzie!

Huragany często przynoszą ze sobą ulewny deszcz i potężne fale, które sięgają daleko w głąb lądu. Kiedy jednak taki potężny wiatr dotrze nad stały ląd, szybko traci swą moc i cichnie.

Gdzie jest oko cyklonu?

Oko cyklonu to jego środkowa część, gdzie wiatr jest stosunkowo słaby, i gdzie nie ma dużych chmur burzowych. Potężne i groźne wiatry poruszają się po spirali wokół oka cyklonu.

Każdy cyklon ma imię. Imię pierwszego cyklonu w roku zaczyna się zazwyczaj na literę A, stąd np. cyklon Alicja, imię drugiego na B, i tak dalej, aż do końca alfabetu. Na szczęście bardzo rzadko imiona cyklonów zaczynają się na litery Q, U, X, Y czy Z!

Co wspólnego mają ze sobą huragany, tajfuny i cyklony?

Tak naprawdę wszystkie te słowa oznaczają to samo zjawisko – i wszystkie budzą przerażenie! Słowo „huragan" jest używane w Ameryce Północnej i Południowej, „tajfun" – na Dalekim Wschodzie, a „cyklon" – w Australii i w Indiach.

Specjalne samoloty meteorologiczne pomagają naukowcom śledzić huragany, dzięki czemu można w porę ostrzec ludzi na zagrożonych terenach.

Jaki wiatr może zatopić statek?

Huragany są groźne zarówno na lądzie, jak i na morzu. Większość fal podnoszona jest przez wiatr wiejący nad powierzchnią wody, a huragan może podnieść falę do wysokości 30 metrów! Uderzenie takiej potężnej ściany wody może w ciągu kilku minut zatopić nawet duży statek.

Skąd marynarze wiedzą, że zbliża się sztorm?

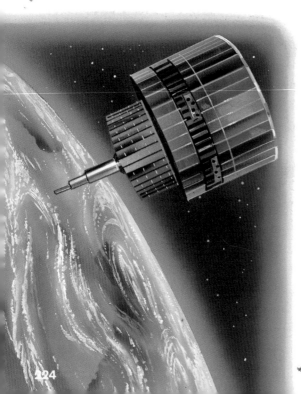

Naukowcy używają samolotów, okrętów i satelitów do uważnej obserwacji pogody. Informacje o zmianach pogody są przekazywane za pośrednictwem radia i telewizji, a marynarze zawsze regularnie słuchają prognoz.

Potężne wichury i pędzone przez nie wysokie fale często powodują katastrofalne powodzie na nisko położonych obszarach przybrzeżnych, niszcząc domostwa i zagrażając życiu ludzi.

Jakie łodzie są niezatapialne?

Łodzie ratunkowe płyną na pomoc ludziom ocalałym z wypadków morskich. Współczesne łodzie ratunkowe radzą sobie w najtrudniejszych warunkach – nawet jeśli wielka fala przewróci taką łódź, ta natychmiast wróci do pionu!

Dlaczego trąby powietrzne są niebezpieczne?

„Trąba powietrzna" to inna nazwa tornada, wirującego huraganu, który powstaje we wnętrzu chmury burzowej. Tornado sięga do ziemi i zachowuje się jak ogromny odkurzacz, wciągając wszystko, co napotka na swej drodze. Tornada są równie groźne, jak huragany.

Obszarem najczęściej nawiedzanym przez tornada jest Aleja Tornad – wąski pas ziemi, który ciągnie się przez kilka stanów USA.

Czym jest trąba wodna?

Jeśli tornado powstanie nad jeziorem lub morzem, wciąga w swój wir wodę i wtedy nazywamy je trąbą wodną. Kiedy wiatr ucichnie, tornado może zrzucić swój ładunek wody na ziemię niczym bombę.

Nie zdziw się, jeśli kiedyś spadnie na ciebie deszcz ryb – oznacza to, że trąba wodna wciągnęła je do środka chmury z morza lub jeziora!

Gdzie możesz zobaczyć diabła?

Gorące powietrze tworzy czasem potężny wir nad terenem pustynnym, unosząc piasek i ziemię na wysokość ponad 150 metrów – powstaje wtedy burza piaskowa, nazywana czasem piaskowym diabłem.

Gdzie wiatr może zedrzeć lakier z samochodu?

Kiedy nad pustynią wieje mocny wiatr, uderza piaskiem o wszystko, co staje na jego drodze. Piasek może zedrzeć wierzchnią warstwę z różnego rodzaju twardych powierzchni – nawet z samochodów. Dlatego kamienie wygładza się strumieniem piasku wyrzucanego z dużą siłą – taki zabieg jest nazywany piaskowaniem.

Drobiny piasku z Sahary spadają czasem nawet w Wielkiej Brytanii, odległej o tysiące kilometrów.

Czym jest Dust Bowl?

Dust Bowl to nazwa pewnego obszaru na terenie Stanów Zjednoczonych. W latach 30. XX wieku na obszarze tym deszcz padał tak rzadko, że ziemia wyschła na piasek, unoszony przez mocne wiatry. Nie rosły tam żadne rośliny, a rolnicy musieli porzucić swą ziemię i domy.

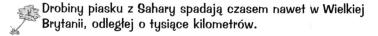

Malowidła skalne sprzed tysięcy lat świadczą o tym, że Sahara była kiedyś wilgotnym i zielonym obszarem, na którym pasły się żyrafy i słonie.

Jak dziecko może być groźne?

La Niña ma zupełnie inny wpływ na pogodę niż El Niño. Na przykład w Australii i Indonezji La Niña wywołuje deszcz i stwarza doskonałe warunki do uprawy roślin.

Ciepłe i zimne prądy oceaniczne kształtują w dużej mierze klimat na świecie. Zimny prąd na Oceanie Spokojnym, zwany La Niña (po hiszpańsku „dziewczynka"), zazwyczaj płynie na zachód, z Ameryki Południowej do Indonezji. Jednak co kilka lat zamiast niego pojawia się ciepły prąd, zwany El Niño („chłopiec"), płynący w przeciwnym kierunku. Czasami El Niño jest bardzo silny i wywołuje katastrofalne zjawiska, takie jak powodzie, huragany i susze, sięgające od Australii do Alaski.

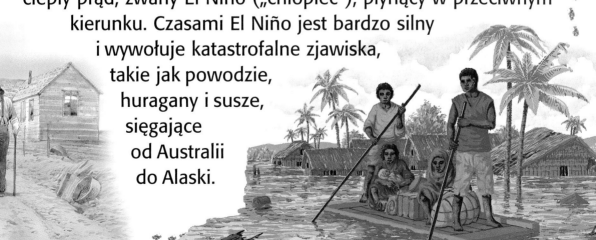

Kiedy osuwa się błoto?

Jeśli na strome zbocze górskie spadnie ulewny deszcz, może on zamienić glebę w płynne błoto i zmyć je ze skały. Czasami z gór spływa ogromna rzeka błota, która niszczy wszystko, co napotka na swej drodze.

Podczas gwałtownych powodzi, które nawiedziły południowy Mozambik w lutym 2000 roku, woda podnosiła się tak szybko, że tysiące ludzi zostało na wiele dni uwięzionych na dachach domów i w koronach drzew.

Co wywołuje gwałtowne powodzie?

Do gwałtownych powodzi dochodzi wtedy, kiedy podczas ulewnego deszczu staw, rzeka czy strumień wypełnią się nagle wielką ilością wody, która występuje z brzegów i zalewa okolicę.

Kiedy w 1985 roku wybuchł pewien kolumbijski wulkan, ogień stopił śnieżną czapę na jego wierzchołku i zamienił ją w rzeki błota zwane laharami, które pogrzebały całe miasto.

Lahar może pędzić w dół zbocza z prędkością niemal 100 km/h.

Jak powodzie mogą pomagać ludziom?

Biblijny potop mógł wydarzyć się wtedy, kiedy Morze Śródziemne przerwało wąski pas lądu, zamieniając słodkowodne jezioro w słone Morze Czarne.

Kiedy rzeka występuje z brzegów, woda zalewa żyzną ziemię na brzegach, co pomaga rolnikom otrzymywać lepsze zbiory. Starożytni Egipcjanie stworzyli wielką cywilizację na wąskim pasie żyznej ziemi zalewanej co roku przez wody Nilu. Reszta ich wielkiego kraju była suchą pustynią.

Kiedy śnieg pędzi z prędkością 300 km/h?

Śnieg może oderwać się od zbocza góry i ruszyć w dół z oszałamiającą prędkością. Lawina, bo tak nazywamy owe pędzące masy śniegu, może być wywołana przez wiele czynników, od trzęsienia ziemi do przejazdu pojedynczego narciarza. Najbardziej niebezpieczne lawiny pędzą z prędkością pociągu ekspresowego i ryczą głośniej niż tysiące lwów, zasypując domy i wioski, tory kolejowe i drogi.

W wysokich górach nie wolno krzyczeć – hałas także może wywołać lawinę!

Podczas I wojny światowej żołnierze celowo strzelali w górach, by ściągnąć lawinę na swoich wrogów.

Kto jest najlepszym przyjacielem ofiary lawiny?

Żaden zespół ratowniczy szukający ofiar lawin nie poradziłby sobie bez specjalnie wyszkolonych psów. Dzięki doskonałemu węchowi psy wyczuwają ludzi ukrytych pod śniegiem, a gdy tylko kogoś znajdą, zaczynają kopać tunel.

Co sprawia, że ziemia się osuwa?

Katastrofy, takie jak lawiny czy osuwiska, zdarzają się najczęściej w regionach górskich, gdzie nie rosną drzewa. Drzewa zapewniają nam bezpieczeństwo, bo zapuszczają korzenie głęboko w ziemię, stabilizując grunt i nie dopuszczając do jego osuwania.

Co się dzieje podczas trzęsienia ziemi?

Słabe trzęsienie ziemi wprawia grunt w drżenie. Podczas silnego trzęsienia ziemia chwieje się i kołysze niczym statek na morzu, a czasami nawet pęka.

Najgroźniejsze trzęsienia ziemi mogą przesuwać góry, zmieniać bieg rzek i niszczyć całe miasta.

Według japońskiej legendy trzęsienia ziemi są wywoływane przez gwałtowne ruchy olbrzymiego suma Namazu.

Zewnętrzna warstwa skorupy ziemskiej jest podzielona na wielkie kawałki zwane płytami, które unoszą się na półpłynnej warstwie leżącej poniżej. Do trzęsienia ziemi dochodzi zazwyczaj wtedy, kiedy te olbrzymie płyty uderzają o siebie.

Kiedy ziemia zamienia się w zupę?

Na obszarach pokrytych miękką, wilgotną ziemią podczas trzęsienia grunt zachowuje się jak ciecz. Budynki toną i zostają uwięzione w ziemi nawet wtedy, kiedy trzęsienie ustaje, a gleba znów twardnieje.

Jak mierzymy trzęsienia ziemi?

Urządzenie zwane sejsmometrem jest używane do pomiaru drgań ziemi podczas trzęsienia.

W niektórych sejsmometrach pisak zapisuje drgania na papierze nawiniętym na obracający się wałek. Pisak jest przymocowany do ciężarka i podczas trzęsienia ziemi pozostaje w bezruchu, a wałek porusza się w górę i w dół.

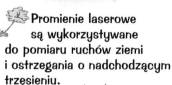

Promienie laserowe są wykorzystywane do pomiaru ruchów ziemi i ostrzegania o nadchodzącym trzęsieniu.

Które góry plują ogniem?

Jeśli kiedykolwiek zobaczycie ogromne ogniste chmury wylatujące z wierzchołka góry, możecie być pewni, że to wulkan – i co gorsza wulkan, który właśnie wybuchł! Najgroźniejsze wulkany eksplodują jak bomby, wyrzucając z siebie chmury gorącego popiołu, kawałki skał i fontanny płynnej skały, którą nazywamy lawą.

Dlaczego wulkany wybuchają?

Głęboko pod wulkanem znajduje się ogromna komora. Rozpalona płynna lawa i gazy gromadzą się tutaj do chwili, gdy pchane ogromnym ciśnieniem strzelają w górę i wypływają na zewnątrz przez szczeliny.

Naukowcy badający wulkany zwani są wulkanologami, a sama nazwa „wulkan" pochodzi od imienia rzymskiego boga ognia.

Gdzie można zobaczyć rzeki skały?

Czasami rozpalona do czerwoności rzeka lawy wylewa się z wulkanu i spływa po jego zboczach. Płynna skała może osiągnąć temperaturę 1000°C – znacznie, znacznie wyższą niż temperatura w piekarniku – i płynąć szybciej niż biegnący człowiek!

Jakby same wulkany nie były dość niebez- pieczne, wypływające z nich chmury popiołu mogą być naładowane elektrycznie i wytwarzać pioruny!

Czym jest lawina popiołu?

Wulkaniczny popiół może być nawet bardziej niebezpieczny niż lawa. Czasami chmury popiołu nie są wyrzucane w górę, lecz toczą się w dół zbocza niczym lawina. Pędząc w dół, te obłoki rozżarzonego pyłu spalają lub stapiają wszystko, co napotkają na swej drodze.

Kiedy w 1991 roku na Filipinach wybuchł wulkan Pinatubo, lawina popiołu zniszczyła ziemię w promieniu 17 kilometrów.

Potężne wybuchy wulkanów mogą czasami wpływać na klimat Ziemi, a to przez chmury popiołu przesłaniające blask słońca. Na przykład po erupcji indonezyjskiego wulkanu Tambora w 1815 roku na całym świecie panowała zła pogoda.

Który wulkan pogrzebał rzymskie miasta?

Gdy w sierpniu 79 r. n.e. eksplodował włoski wulkan Wezuwiusz, popiół opadł niczym śnieg na rzymskie miasta Pompeje i Herkulanum, grzebiąc je pod nawet 12-metrowymi zaspami. Potem spadł deszcz, a popiół stwardniał niczym beton. Miasta, które zastygły wtedy w czasie, zostały całkowicie odkopane dopiero w II połowie XIX wieku.

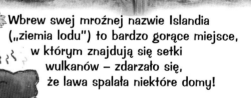

Wbrew swej mroźnej nazwie Islandia („ziemia lodu") to bardzo gorące miejsce, w którym znajdują się setki wulkanów – zdarzało się, że lawa spalała niektóre domy!

Jaki pożytek mogą przynosić wulkany?

Choć popiół wulkaniczny jest niszczącą siłą, może także przynosić korzyści. Kiedy już ostygnie, użyźnia glebę i pozwala rolnikom zbierać lepsze plony.

Jak duże mogą być fale?

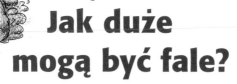

Kiedy przeciętna fala tsunami dopływa do brzegu, osiąga zazwyczaj wysokość około 30 metrów. Jednak najwyższa fala, której wielkość udało się odnotować na Alasce, miała ponad 500 metrów wysokości!

Fale tsunami mogą pędzić przez ocean z prędkością 1000 km/h – tak szybko, jak odrzutowiec!

Fale tsunami mogły odegrać decydującą rolę w tajemniczym zniknięciu cywilizacji minojskiej na greckiej wyspie Kreta około 3500 lat temu. Niewykluczone, że w tym właśnie czasie uderzyły w Kretę olbrzymie, czterdziestometrowe fale, niszcząc przybrzeżne miasta i całą flotę minojską.

Co wywołuje tsunami?

W odróżnieniu od zwykłych fal, które są podnoszone przez wiatr wiejący nad powierzchnią wody, większość fal tsunami rodzi się na dnie oceanu. Ich źródłem mogą być podwodne trzęsienia ziemi lub erupcje wulkanów.

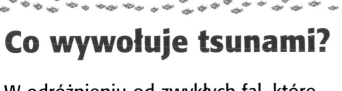 Kiedy w 1883 roku wulkan zniszczył indonezyjską wyspę Krakatau, skały wrzucone przez niego do morza wywołały tsunami. Ogromne fale porwały nawet okręt i porzuciły go w dżungli na pobliskiej wyspie – Sumatrze.

Dlaczego skały z kosmosu są niebezpieczne?

Ziemia jest narażona na nieustanne ataki skał z kosmosu. Większość z nich to niewielkie kamyki, które spalają się w ziemskiej atmosferze. Jednak od czasu do czasu jakiś większy odłamek skalny dosięga Ziemi i wybija w niej wielką dziurę, zwaną kraterem.

Odłamki skalne z kosmosu, które uderzyły w Ziemię, są nazywane meteorytami.

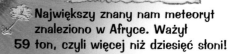

Największy znany nam meteoryt znaleziono w Afryce. Ważył 59 ton, czyli więcej niż dziesięć słoni!

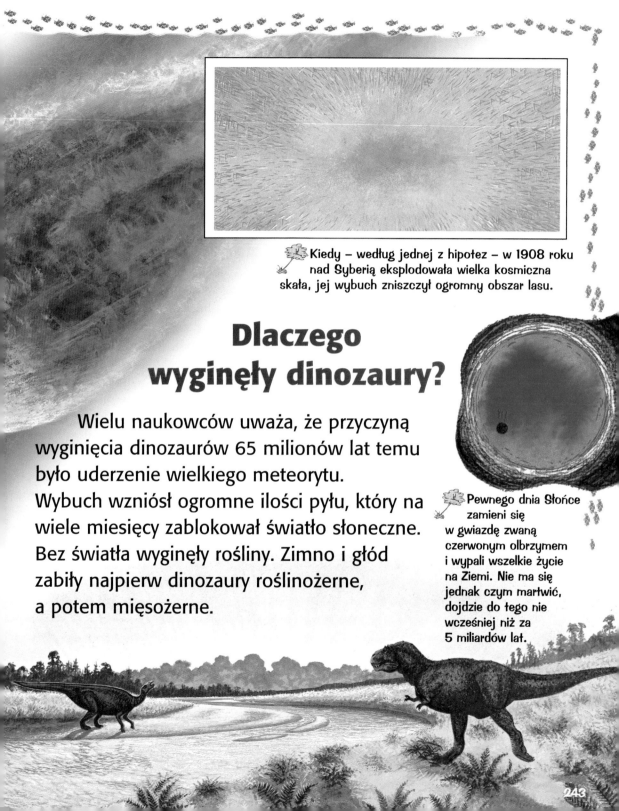

Kiedy – według jednej z hipotez – w 1908 roku nad Syberią eksplodowała wielka kosmiczna skała, jej wybuch zniszczył ogromny obszar lasu.

Dlaczego wyginęły dinozaury?

Wielu naukowców uważa, że przyczyną wyginięcia dinozaurów 65 milionów lat temu było uderzenie wielkiego meteorytu. Wybuch wzniósł ogromne ilości pyłu, który na wiele miesięcy zablokował światło słoneczne. Bez światła wyginęły rośliny. Zimno i głód zabiły najpierw dinozaury roślinożerne, a potem mięsożerne.

Pewnego dnia Słońce zamieni się w gwiazdę zwaną czerwonym olbrzymem i wypali wszelkie życie na Ziemi. Nie ma się jednak czym martwić, dojdzie do tego nie wcześniej niż za 5 miliardów lat.

Indeks